Ludwig van Beethoven

rororo

rowohlts monographien
begründet von Kurt Kusenberg
herausgegeben von Wolfgang Müller
und Uwe Naumann

rororo

Ludwig van Beethoven

Dargestellt von Martin Geck

Rowohlt Taschenbuch Verlag

Umschlagvorderseite: Ludwig van Beethoven.
Gemälde von Joseph Willibrord Mähler, 1815
Umschlagrückseite: Das Beethoven-Haus in Bonn,
Bonngasse 24–26
Ludwig van Beethoven: Originalpartitur der
Neunten Sinfonie mit Schlusschor über Schillers
«Ode an die Freude», 7. Mai 1824

Seite 3: Ludwig van Beethoven.
Gemälde von Joseph Willibrord Mähler, 1804

Überarbeitete Neuausgabe

5. Auflage Juni 2001
Veröffentlicht im Rowohlt Taschenbuch Verlag
GmbH, Reinbek bei Hamburg, April 1996

Dieser Band ersetzt die 1965 erschienene
Beethoven-Monographie von Fritz Zobeley
Umschlaggestaltung Ivar Bläsi
Redaktionsassistenz Katrin Finkemeier
Reihentypographie Daniel Sauthoff
Layout Gabriele Boekholt
Satz PE Proforma *und* Foundry Sans *PostScript*
QuarkXPress 4.1
Gesamtherstellung Clausen & Bosse, Leck
Printed in Germany
ISBN 3 499 50645 9

Die Schreibweise entspricht den Regeln
der neuen Rechtschreibung.

INHALT

Max Klingers Beethoven-Denkmal von 1901 im Leipziger Gewandhaus. «Klingers schwacher kleiner Beethoven, der sich auf den großen Götterthron gesetzt hat und, sich inbrünstig concentrierend, die Fäuste ballt – das ist ein Held.» (Thomas Mann am 28. März 1906 an Kurt Martens)

«Mozart's Geist aus Haydens Händen»
Jahre des Aufbruchs (1770 – 1800)

Beethoven ist ein Mythos. Der 1901 vollendete «Beethoven» Max Klingers, heute im Leipziger Gewandhaus thronend, mag zeitverhaftet sein und steht doch für diesen überzeitlichen Mythos.[1] Der Oberkörper des Dargestellten ist entblößt – die Darstellung urmächtiger, jedoch gesammelter Energie. Die Gesichtszüge zeigen konzentriertes Sinnen, der Blick geht nach innen und zugleich in die Weite. Die Fäuste sind als Ausdruck des Willens ineinander geballt. Um die Figur ist Einsamkeit und Stille. Der zu Füßen des Helden auf nacktem Felsgrund hockende Adler ist als Herr der Lüfte und Gipfel Symbol des Genies, das keine Grenzen kennt, zugleich Sinnbild göttlicher Inspiration, die sich ihren Mann sucht, ohne dass dieser im Letzten darum wüsste.[2] Engelsköpfe, die den gewaltigen Thron zieren, stehen für das Seraphische, das Himmlisch-Leichte, das gleichfalls zur Aura der Beethoven'schen Kunst gehört.

Die Reliefdarstellungen des Thronrückens, die Motive der griechischen Mythologie und der christlichen Heilslehre detailliert aufgreifen, bleiben im Hintergrund und sind doch beziehungsreich: Beethovens Musik ist nicht nur im Sinne der emphatischen Musikanschauung Arthur Schopenhauers Ausdruck des Willens schlechthin; zugleich setzt sie sich mit antikem, christlichem und aufklärerischem Ideengut ausführlich und konkret auseinander. Davon zeugen nicht nur handlungs- oder textgebundene Werke wie das Ballett *Die Geschöpfe des Prometheus* oder die *Missa solemnis*: Gerade in der «reinen» Instrumentalmusik ist die Spannung zwischen selbstbezüglichen, musikalischer Eigengesetzlichkeit verpflichteten Momenten und solchen, die nach Deutung und weitergehendem Verstehen verlangen, zum philosophischen und ästhetischen

Prinzip erhoben. Namentlich die Sinfonien erschließen sich in wesentlichen Dimensionen nur, wenn sie als Dialog mit spezifischen Traditionen, Themen und Symbolen abendländischen Denkens verstanden werden.

Max Klingers «Beethoven» zieht das Fazit eines Jahrhunderts, das den Komponisten von Anbeginn mythisiert hat. Schon das Gemälde von Joseph Willibrord Mähler (S. 3) aus dem Jahre 1804 zeigt ihn in klassizistischer Manier als Kunstheros seines Zeitalters – es ist das Zeitalter Napoleons, der seinerseits schon zu Lebzeiten zum Mythos wird. Doch Napoleon ist immerhin Inbegriff des Staatskünstlers, diktiert Verfassungen, bewegt Heere und versetzt ganze Nationen in Aufruhr. Beethoven ist «nur» Musiker und dennoch früh mit der Aura einer Größe umgeben, welche gelegentlich diejenige von Goethe und Schiller zu übertreffen scheint. Man mag das damit begründen, dass sich die musikalische Kunst in ihrer Dialektik von Sammlung und Flüchtigkeit, abstrakter Ferne und sinnlicher Nähe zur Mystifizierung besser eigne als alle anderen Künste, sollte jedoch nicht übersehen, dass der Komponist Beethoven in entscheidenden Dimensionen diese Vorstellung von Musik selbst geschaffen hat.

Wird Bach als Urvater der Musik vom 19. Jahrhundert erst entdeckt, so ist Beethoven von Anfang an sein Heros. Joseph Daniel Danhausers berühmtes Tableau von 1840, «Liszt am Flügel», das den gefeierten Virtuosen in der Gesellschaft von Alexandre Dumas, George Sand, Marie d'Agoult, Victor Hugo, Niccolò Paganini und Gioacchino Rossini am Klavier zeigt, könnte ebenso gut «Erinnerung an Beethoven» heißen, denn der fantasierende Liszt blickt wie verzückt zu einer Büste Beethovens auf, die vor einem romantisch bewölkten Himmel weit größer und mächtiger erscheint als die Gestalt seines Verehrers.

Kein Geringerer als Richard Wagner hat dazu beigetragen, dass im Mythos Beethoven Texturen aus Werk und Leben unentwirrbar ineinander verwoben worden sind. «Nicht also das Werk Beethoven's, sondern jene in ihm enthaltene unerhörte künstlerische That haben wir hier als den Höhepunkt der Ent-

Liszt am Flügel. Gemälde von Joseph Daniel Danhauser, um 1840

faltung seines Genius' festzuhalten», schreibt er in seiner emphatischen Beethoven-Schrift des Jahres 1870.[3] Hier erübrigt sich die Trennung von empirischem Leben und künstlerischem Werk angesichts eines gemeinsamen Dritten, das mit Wagner als «Tat», mit anderen Beethoven-Deutern als «Ethos» zu bezeichnen ist.

Vor diesem Horizont setzen sich auch die schmuckloseste Biographie und die nüchternste Werkbeschreibung dem Verdacht aus, ihrerseits am Mythos Beethoven zu weben – denn welchen Sinn könnte es haben, über Beethoven zu schreiben, ohne die Bedeutsamkeit seiner Tat und seines Ethos im Sinne eines Mythos vorauszusetzen? Kein Autor kommt umhin, Zusammenhänge zu konstruieren und Deutungen von Fakten vorzunehmen, die bei einer weniger wichtigen Person nicht mit Emphase arrangiert, sondern längst dem Vergessen überantwortet worden wären.

Gewiss ist es Aufgabe der Forschung, Legendäres und Anekdotisches von Authentischem zu trennen. Doch was ist in einem höheren Sinne authentisch? Sind es beispielsweise die aus den letzten Lebensjahren des Komponisten erhaltenen Konversationshefte, von denen um die einhundertachtzig erhalten sind? Ungeachtet mancher Lücken scheinen sie vordergründig gut geeignet, um Tagesablauf und persönlichen Umgang des ertaubten Meisters kontinuierlich zu dokumentieren. Bereichert es aber unser Wissen über den Beethoven der Neunten und der späten Quartette, wenn wir seine Klagen über eine liederliche Köchin registrieren oder seine Probleme mit einfachen Rechenoperationen nachvollziehen?

Der Vorsatz, sich lieber ganz auf das Werk und dessen immanente Struktur zu konzentrieren, führt zu einer nicht weniger nachhaltigen Begegnung mit dem Mythos Beethoven. Zum einen fließt in jede Werkbetrachtung zumindest untergründig ein, was über das Leben und über die jeweiligen kompositorischen Absichten des Komponisten bekannt ist; sonst gäbe es zum Beispiel keine respektvolle Rede vom «Spätwerk». Zum anderen geschieht rein «strukturelles» Analysieren keineswegs voraussetzungslos, sondern geradezu als Dienst am Mythos von der absoluten Musik und ihrem Priester Beethoven: dass Musik, der man emphatisch Werkcharakter zuspricht, an sich stimmig sei und für sich lebe, ist eine stimulierende, niemals aber objektivierbare Denkkonstruktion.

Den skizzierten Problemen muss sich auch der Autor dieser Monographie stellen: Dank der Hilfe des Beethovenarchivs kann er zwar Daten und Fakten nach dem neuesten Stand der Forschung mitteilen. Indessen stellt bereits die Auswahl der besprochenen Quellen, Sachverhalte und Kompositionen eine Wertung dar – schon gar deren Deutung. Und vor allem dort, wo das im weitesten Sinne des Wortes «biographische» Material in die Auseinandersetzung mit dem musikalischen Schaffen einfließt, ist der Grat zwischen produktiver Werkerschließung und interpretatorischem Übereifer schmal.

Freilich ist dieser Sachverhalt zugleich eine spannende Herausforderung: dass Leben, Denken und Schaffen eng wie bei keinem anderen großen Komponisten ineinander verwoben und die aus ihnen erwachsenen Werke gleichermaßen abgeschlossen wie interpretationsbedürftig sind, nötigt zu immer neuen Denkanstrengungen, das Phänomen Musik in seiner Subjekt-Objekt-Spannung zu verstehen. Der Autor gesteht, in diesem Sinne nirgendwo mehr gelernt zu haben als bei Beethoven.

*

Ludwig van Beethoven wurde im Dezember 1770 in eine Musikerfamilie hineingeboren, deren unbestrittenes Haupt der Großvater Ludwig d. Ä. war. Dieser kam 1712 als Sohn eines Bäckermeisters im flämischen Mecheln zur Welt, besuchte schon mit fünf Jahren eine Chorschule und schlug früh die Laufbahn eines Sängers und Chorleiters ein. Als solcher wirkte er zunächst in Löwen und Lüttich; 1733 ging er als Mitglied der kurkölnischen Kapelle nach Bonn. Dort stieg er schließlich zum Hofkapellmeister auf, dem die Kirchen-, Bühnen- und Tanzmusik unterstand. Nebenbei betätigte er sich im Weinhandel und Geldverleih. Er starb am Heiligen Abend des Jahres 1773 – zu einem Zeitpunkt, als sein Enkel Ludwig immerhin drei Jahre alt und somit in der Lage war, in seinem Gedächtnis

Beethovens Geburtshaus in seinem ursprünglichen Zustand. Bleistiftzeichnung von R. Beißel, 1889

frühe Eindrücke vom Großvater zu bewahren, dem er seinen Namen verdankte. Mit seiner Frau Maria Josepha Poll hatte Ludwig drei Kinder, von denen nur eines am Leben blieb: Johann. Dieser, Beethovens späterer Vater, wurde 1739 oder 1740 in Bonn geboren und heiratete 1767 die aus der Nähe von Koblenz stammende Maria Magdalena Kevenich, die bereits mit 21 Jahren verwitwete Tochter eines Kochs.

Das Eheglück dürfte nicht ungetrübt gewesen sein; jedenfalls wird Beethovens Mutter mit der Äußerung zitiert: «Was ist Heyrahten, ein wenig freud, aber nachher, eine Kette, von Leiden.»[4] Im Blick auf die ersten Ehejahre mögen solche Einschätzungen aus ihrem offenbar zur Schwermut neigenden Naturell begründet werden. In späterer Zeit hatte Magdalena auch äußeren Grund zu Klagen: Johann van Beethoven, der bereits mit zwölf Jahren in den kurfürstlichen Chor aufgenommen und nach dem Stimmbruch als Tenorist in der Bonner Hofkapelle eingestellt worden war, kam zwar zunächst beruflich voran, wurde jedoch bereits 1784 in einem amtlichen Bericht wegen seiner Armut und «ganz abständigen Stimm»[5] abschätzig beurteilt. Vermutlich schon zu diesem Zeitpunkt vom Alkohol abhängig und außerdem eines Betrugsversuches bezichtigt, war er dazu prädestiniert, in ein anonymes Verzeichnis «guter Spürhunde, welche anjetzt dienstlos und um billigen Preis zu vermieten sind», aufgenommen zu werden.[6]

Als er 1792 starb, war seine Frau Maria Magdalena schon fünf Jahre tot. Sie hatte ihm sieben Kinder geboren, von denen nur die drei Söhne Ludwig (1770 bis 1827), Kaspar Karl (1774–1815) und Nikolaus Johann (1776–1848) das Erwachsenenalter erreichten. Ludwig, im elterlichen Haus in der Bonngasse geboren und am 17. Dezember 1770 in der St. Remigius-Kirche getauft, kam als zweites Kind auf die Welt. Da der erstgeborene Ludwig Maria nur wenige Tage alt geworden war, wuchs der

Das genaue Geburtsdatum Beethovens steht nicht fest. Vermutlich ist es der 16. Dezember 1770. Beethoven selbst hielt hartnäckig an der Vorstellung fest, sein Taufschein sei in Wahrheit der seines älteren Bruders Ludwig Maria. Die meiste Zeit seines Lebens glaubte er, im Dezember 1772 geboren zu sein. Im «Heiligenstädter Testament» machte er sich sogar drei bis fünf Jahre jünger, als er war.

zweite Ludwig in der Rolle des Ältesten und Vormundes seiner Brüder heran.

Ab etwa 1775 wohnte die Familie für rund zehn Jahre im Haus des Bäckermeisters Fischer in der Rheingasse; das 1944 zerstörte Haus lag direkt am Rhein, an der Stelle, wo heute das Hotel «Beethoven» steht. Vom Besuch der Elementarschule des Herrn Ruppert hielt Vater Johann nach den Erinnerungen Gottfried Fischers, Sohn des Bäckermeisters und nebst seiner Schwester Cäcilie Jugendgenosse Beethovens, wenig; statt den Ältesten in die Schule zu schicken, habe er ihn «frühe an das Klavier gesetzt und ihn stränng angehalten». Zum Klavierspiel musste Ludwig «auf einem kleine Bännkgen» stehen; außerdem erlernte er das Violin-, später auch das Orgelspiel. Der Vater scheint mit dem Sohn nicht gerade schonend verfahren zu sein, sofern er nicht systematisch studierte, sondern auf seinem Instrument «Dummes Zeüg durcheinanderkratzte», das heißt probierte und improvisierte.[7]

Der Knabe muss sich mit der Erfahrung auseinander setzen, dass der Zugang zu den Glücks- und Machtgefühlen, die das Ausüben von Musik bereiten kann, mit endlosen Anstrengungen, Aufregungen, Versagungen und Angriffen auf die eigene Person verknüpft ist. Ein unter solchen Vorzeichen aufgewachsener Künstler mag es als seine Lebensaufgabe ansehen, der Menschheit zu dienen. Weshalb auch immer – viele Äußerungen des späteren Beethoven handeln jedenfalls von Verzicht und Verantwortung, etwa das Bekenntnis im Brief an Joseph von Varena vom Dezember 1811: *Nie von meiner ersten Kindheit an ließ sich mein Eifer der armen leidenden Menschheit wo mit meiner Kunst zu dienen mit etwas anderm Abfinden*[8], oder die Niederschrift in den Konversationsheften von 1823: *Wenn ich hätte meine Lebenskraft mit dem Leben so hingeben wollen, was wäre für das edle, bessere geblieben?*[9]

Von geregeltem Schulbesuch kann bei Beethoven noch weniger die Rede sein als bei anderen Kindern, die früh zur Ausbildung von besonderen Fertigkeiten angehalten werden. Innerhalb der Grundrechenarten hat er kaum die Hürde der Addition genommen. In den musikalischen Skizzen des erwachsenen Künstlers finden sich Rechenversuche simpelster Art; analog zeigen sich Probleme bei der Taktzählung und -notierung. Amüsant und zugleich bewegend zu lesen ist der Nachhilfeunterricht, den der Neffe Karl seinem Onkel wenige Monate vor dessen Tod erteilt, indem er ihn via Konversationsheft das kleine Einmaleins von vorwärts und rückwärts abfragt und dann bemerkt: «Die Multiplikation ist nur eine vereinfachte Addition. Die Rechnung geschieht also auf dieselbe Art. Man schreibt jedes Theilprodukt unter seine Stelle, besteht es aus 2 Ziffern, so wird die linke zum Theilprodukt der nächsten Stelle addirt. Ein kleines Beyspiel: 2348 ist mit 2 zu multipliziren [...].»[10]

Die «ehmahlichen Stattur» seines um zehn Jahre älteren Hausgenossen nennt Gottfried Fischer – in rheinischem Dialekt und eigenwilliger Orthographie – «kurz getrungen, breit in die Schulter, kurz von Halz, dicker Kopf, runde Naß [Nase], schwarzbraune Gesichts Farb, er ginng immer was vor übergebükt»[11]. Der auffälligen Gesichtsfarbe wegen wird der Junge «Spangol», das heißt Spagnuolo (Spanier), genannt. Fischer erzählt von Lausbubenstreichen und vergnüglichen Szenen im Leben des kleinen Ludwig, den man sich gleichwohl als Einzelgänger vorstellen darf. Eines Morgens soll er sinnend aus dem Schlafzimmerfenster geschaut und seine Abwesenheit mit den Worten entschuldigt haben: *Ich war da, in einem so schöne, tiefe Gedanken beschäftig, da konnt ich mich gar nicht stören laße.*[12] Geradezu Symbolwert hat die Erinnerung an den Knaben, der auf den Speicher klettert, um durchs Fernrohr auf das Siebengebirge zu schauen.

Ob Beethoven zu solcher Muße oft Gelegenheit gehabt hat, sei freilich dahingestellt, denn Pflichten gab es genug. Früh beginnt die Karriere eines Wunderkindes: Schon als Siebenjähriger, in den Ankündigungen des Vaters noch um ein Jahr jünger gemacht, trat er im benachbarten Köln innerhalb einer musikalischen Akademie laut Programmzettel «mit verschiedenen Clavier-Concerten und Trios»[13] auf. Elfjährig wirkte der junge Ludwig als unbesoldeter Vertreter des neu berufenen Organisten Christian Gottlob Neefe in der Bonner Hofkapelle mit; mit dreizehn Jahren wurde er nach anfänglich erfolgloser Fürsprache des Obristhofmeisters und Hofmusikintendanten Graf zu Salm und Reifferscheid regulärer zweiter Hoforganist. Bald darauf folgte die Suspendierung des Vaters vom Hofdienst.

Oberster Dienstherr war der von 1761 bis 1784 regierende Maximilian Friedrich von Königsegg, Kurfürst und Erzbischof von Köln, zugleich Fürstbischof von Münster. In Kaspar Risbecks «Briefen eines reisenden Franzosen in Deutschland» findet sich im Jahr 1780 das Lob: «Die jetzige Regierung des Erzbisthums Köln und des Bisthums Münster ist ohne Vergleich die aufgeklärteste und thätigste unter allen geistlichen Regierungen Deutschlands. Die ausgesuchtesten Männer bilden das Ministerium des Hofes von Bonn.»[14]

Über die Stadt und die kurfürstliche Residenz heißt es in einem anderen Bericht aus demselben Jahr: «Bonn ist eine hübsche, reinlich gebaute Stadt, und seine Straßen leidlich gut gepflastert, alle mit schwarzer Lava. Es ist in einer Ebene am Flusse gelegen. Das Schloß des Kurfürsten von Köln begrenzt den südlichen Eingang. Es bietet keine Schönheiten in der Architektur, und ist durchaus einfach weiß, ohne irgendwelche Ansprüche.»[15] Obwohl sich der Kurfürst nach seinem Amtsantritt zur Sparsamkeit genötigt sah, blieb er ein Liebhaber und Förderer der Künste. Gleich in seinem ersten Regierungsjahr wies er Ludwig van Beethoven d. Ä. in die frei gewordene Kapellmeisterstelle ein.

Die Bonner Hofmusiker waren gemäß ihren zeitüblichen Pflichten in drei Bereichen tätig: Kirche, Kammer, Theater. In der konzertanten Kirchenmusik herrschte der traditionelle italienische Stil vor; die vor allem im prächtigen Akademiesaal des Schlosses anberaumten Konzerte, welche zu Beethovens Zeiten bereits die vor- und frühklassische Sinfonik ins Programm nahmen, wurden von Zeitgenossen gerühmt. Im «Bönnischen Intelligenzblatt» hieß es angesichts der Feierlichkeiten zur Einweihung der Universitätsbibliothek im Jahre 1786: «Mittags wird bey Hofe an verschiedenen Tafeln gespeist, und Abends um halb 6 Uhr auf dem großen Akademiesaal ein großes musicalisches Concert gehalten, wobey nebst dem hohen Adel und sämmtlichen Kurfürstl. Räthen mit ihren Ehefrauen, auch erwachsenen Söhnen und Töchtern, die Geistlichkeit, die Officire, die Glieder der Universität, fast alle Fremde von Distinction erscheinen können.»[16]

Kurfürst Maximilian Friedrich, um den Aufbau eines Nationalschauspiels bemüht, unterhielt zwar keine eigene Theatertruppe, übernahm aber die Kosten für angesehene Privatgesellschaften, zuletzt für diejenige des Ehepaars Großmann. Im «Comödienhaus», einem Teil des Schlosses, wurden – zuletzt unentgeltlich – Schauspiele, vor allem aber Singspiele, Operetten und gelegentlich auch anspruchsvollere Opern gegeben, wobei im Stehparterre auch das bürgerliche Publikum Zutritt hatte.

Der junge Beethoven nahm an alledem als Organist, Cembalist und – den Besoldungslisten zufolge – auch als Bratschist teil, zunächst als Helfer Neefes, dann zunehmend mit selbständigen Aufgaben. Er hatte somit einschlägige Anregungen in Fülle und bei allem das Glück, wichtige Bereiche der höfischen Musikkultur als unmittelbar Beteiligter miterleben zu können. Freilich musste er früh das Leben eines Erwachsenen führen und gegebenenfalls bis in die Nacht hinein zur Verfügung stehen. Seine Galauniform beschreibt Gottfried Fischer mit den Worten: «See grüne Frackrock, grüne, kurze Hoß mit Schnalle, weiße Seite oder schwarze Seide Strümpf, Schuhe mit schwarze Schlöpp, weiße Seide geblümde West mit Klapptaschen, mit Shappoe, das West mit ächte Goldene Kort umsetz, Fisirt mit Locken und Hahrzopp, Klackhud, unterem linken Arm sein Dägen an der linke seite mit einer Silberne Koppel.»[17]

Das erste bekannte Bildnis: Beethoven um 1786. Silhouette von Joseph Neesen

Schon in jungen Jahren mussten die Söhne «Johann den Läufer», wie ihn der Großvater spöttisch getauft hatte[18], aus dem Wirtshaus holen und – mit den Worten Fischers – «auf die feinste art, um das es nur kein Aufwannt gab, im stille nach Hauß ... begleiten»[19]. Spätestens seit dem Tod der Mutter im Jahre 1787 war Ludwig das eigentliche Familienoberhaupt; Ende 1789 ersuchte er den Kurfürsten, die Hälfte des Gehalts, das dem nicht mehr dienstfähigen Vater zustand, ihm selbst zur Ernährung der Familie zufließen zu lassen. Dass der Vater inständig bat, die peinliche Angelegenheit geheim zu halten, dokumentierte zwar Ludwigs Machtstellung in der mutterlosen Familie, musste aber zugleich Gefühle der Verachtung auslösen. In der Tat ist nicht Vater Johann, sondern Großvater Ludwig Vorbild und Idol Beethovens gewesen; des Letzteren Bildnis ließ er 1801 nach Wien schaffen, um es in seiner Wohnung an bevorzugter Stelle aufzuhängen.

Dennoch sollte man die Bedeutung des Vaters vor allem für den künstlerischen Werdegang Ludwigs nicht gering einschätzen. Johann sorgte dafür, dass Standespersonen ins Haus kamen, die das Talent, ja das Genie des Knaben zu schätzen wussten und ihn ermunterten, in der Komposition fortzufahren. Außerdem unternahm er mit seinem Sohn allerlei Reisen in die Umgebung, welche seinen Bildungshorizont erweiterten.

Von noch größerer Bedeutung dürfte freilich die Aufnahme gewesen sein, die Beethoven in der Bonner Adelsfamilie Breuning fand, deren Mitglieder er in späteren Jahren seine damaligen *Schutzengel* genannt haben soll.[20] In der Hofrätin Helene von Breuning hatte er eine mütterliche Vertraute, in ihrer Tochter Eleonore eine altersgleiche Jugendfreundin und in ihrem Sohn Stephan, der 1801 als Jurist nach Wien ging, einen lebenslangen Freund. Ein solcher war auch Eleonore von Breunings späterer Mann, der Arzt Franz Gerhard Wegeler, welcher sich 1838 erinnerte: «Beethoven wurde bald als Kind des Hauses behandelt; er brachte nicht nur den größten Theil des Tages, sondern selbst manche Nacht dort zu. Hier fühlte er sich frei, hier bewegte er sich mit Leichtigkeit, Alles wirkte zu-

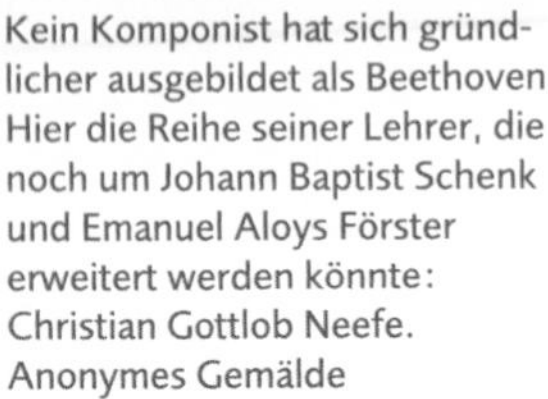

Kein Komponist hat sich gründlicher ausgebildet als Beethoven. Hier die Reihe seiner Lehrer, die noch um Johann Baptist Schenk und Emanuel Aloys Förster erweitert werden könnte: Christian Gottlob Neefe. Anonymes Gemälde

Johann Georg Albrechtsberger. Anonymes Gemälde

sammen, um ihn heiter zu stimmen und seinen Geist zu entwickeln.»[21]

Wer von Beethovens ersten, zum Teil nur noch dem Namen nach bekannten Musiklehrern nachhaltigen Einfluss auf seinen Werdegang ausgeübt hat, lässt sich kaum mehr rekonstruieren. Festzuhalten ist, dass in Neefe zur rechten Zeit ein fähiger, vielseitig gebildeter Lehrmeister zur Verfügung stand. Der 1748 in Chemnitz geborene Komponist verbrachte entscheidende Jahre seiner Ausbildung in Leipzig, wo er einerseits mit dem Werk Johann Sebastian Bachs konfrontiert, andererseits von Johann Adam Hiller zur Komposition von komischen Opern und Singspielen animiert wurde. Angeregt vom Kurfürsten, der ein Verehrer Mozarts war, fertigte er Übersetzungen und Klavierauszüge von dessen Opern an. Auch als Komponist beachtlicher Sololieder und dem Sturm und Drang

Joseph Haydn. Tuschpinselzeichnung (Ausschnitt) nach John Hoppner von Georg Sigismund Facius

Antonio Salieri. Anonymes Ölbild

nahe stehender Klavierkompositionen war er durchaus in der Lage, Beethoven zu fördern.

Von dessen Genie früh überzeugt, unterrichtete Neefe seinen Schüler in der Tradition des Generalbasses und auf der Grundlage des «Wohltemperierten Klaviers»; zugleich machte er ihn mit dem vor- und frühklassischen Stil Carl Philipp Emanuel Bachs, Haydns und Mozarts bekannt. Unzweifelhaft weckte oder förderte er auch Beethovens aufklärerischen und humanistischen Sinn. Das Credo seiner Autobiographie von 1782: «Die Großen der Erde lieb' ich, wenn sie gute Menschen sind [...]. Schlimme Fürsten hass' ich mehr als Banditen»[22] wirkt in Sätzen fort, die Beethoven 1793 im Geiste Schillers der Nürnbergerin Johanna Theodora Vocke ins Stammbuch schrieb: *Freyheit über alles lieben, Wahrheit nie, (auch sogar am Throne nicht) verlaügnen.*[23] Die Vorstellung, dass auch und gerade Musik den

höheren Zielen der Menschheit zu dienen habe, konnte Beethoven aus den Anschauungen Neefes unmittelbar übernehmen.

Letzterer war nicht nur Aufklärer, sondern auch Freimaurer. In seinem Gesuch um Aufnahme in den Illuminatenorden, eine auch in Bonn tätige Nachfolge- und Tarnorganisation der unter Verfolgung leidenden Freimaurerlogen, in welcher er es zum Lokaloberen bringt, nennt er als seine Ideale: «Handhabung der Rechte der Menschheit [...] Duldung der Schwachheit, Unterricht dem Unwissenden, Aufklärung dem Irrthum» usw.[24] Ende 1787 gründeten Illuminatenkreise eine vom Kurfürsten geförderte, dem allgemeinen Fortschritt in Kunst, Wissenschaft und Volkserziehung verpflichtete «Lesegesellschaft», welcher viele Personen aus Beethovens Bekanntenkreis angehörten, unter ihnen neben Neefe die Hofmusiker Nikolaus Simrock, Franz Anton Ries und Anton Reicha.[25]

Christian Gottlieb Neefe sorgte nicht nur 1782 für Beethovens erste Veröffentlichung in Gestalt von neun Klaviervariationen über einen Marsch von Ernst Christoph Dressler, sondern verfasste auch ein Jahr später die erste publizierte Nachricht über das junge Genie: «Louis van Betthoven spielt sehr fertig und mit Kraft das Clavier, ließt sehr gut vom Blatt, und um alles in einem zu sagen: Er spielt größtentheils das wohltemperirte Clavier von Sebastian Bach.»[26]

In seiner Schule zeigte Beethoven alsbald kompositorische Leistungen, die im allgemeinen Bewusstsein nur deshalb nicht neben denen des jungen Wolfgang Amadeus Mozart stehen, weil sie im einschlägigen Werkverzeichnis von Kinsky/Halm nur am Ende unter den «Werken ohne Opuszahl» (WoO) geführt werden. Namentlich die drei «Kurfürstensonaten» für Klavier WoO 47 von 1782/83 und vielleicht noch mehr die drei Klavierquartette WoO 36 von 1785 sind Ausdruck früher Könnerschaft. Die Klavierquartette – vermutlich auf Anregung des Lehrers nach dem Vorbild der Mozart'schen Violinsonaten KV 296, 379 und 380 geschrieben – sind in puncto Zielstrebigkeit, Eigenwilligkeit und Leidenschaft gleichwohl eigengeprägt.

Nach 1785 scheint Beethovens kompositorische Produktivität vorübergehend zurückgegangen zu sein. Ein im Frühjahr 1787 begonnener Studienaufenthalt in Wien, der wegen des nahenden Todes der Mutter abgebrochen werden musste, bleibt ohne nachweisliche künstlerische Folgen, obwohl möglicherweise eine Begegnung mit Mozart zustande gekommen ist. Es ist denkbar, dass Beethoven in diesen Jahren – neben fortlaufendem Hofdienst – bevorzugt an seiner allgemeinen Bildung gearbeitet hat. Jedenfalls schrieb er sich am 14. Mai 1789 in die Matrikel der Bonner Universität ein.

Diese war drei Jahre zuvor vom neuen, von 1784 bis 1794 regierenden Kurfürsten Maximilian Franz, dem jüngsten Sohn der österreichischen Kaiserin Maria Theresia, mit dem Auftrag gegründet worden, die Menschen denken zu lehren – also im Zeichen der Aufklärung, die im Erzbistum Köln spürbarer herrschte als in den meisten weltlichen Reichsstaaten deutscher Sprache. Speziell von der Residenzstadt Bonn bemerkte Wilhelm von Humboldt 1788, man könne in der Hofbibliothek und selbst im «Lesekabinett auf dem Markte die besten periodischen Schriften sowohl als gelehrte und politische Zeitungen und Bücher» finden.[27] Beethoven dürfte kaum kontinuierlich Kollegs besucht oder Bücher studiert, sich vielmehr – wie auch in seinem weiteren Leben – jeweils ad hoc angeeignet haben, was ihm fehlte und was ihm entgegenkam.

Anders als Haydn und Mozart, die das Musikhandwerk zwar gleichfalls von der Pike auf gelernt, jedoch keine Gelegenheit zum Erwerb von politischer und philosophischer Bildung gehabt hatten, sah sich Beethoven augenscheinlich schon früh nicht nur als angehender Tonsetzer, sondern auch als kritischer Zeitgenosse, der am allgemeinen Bildungsdiskurs der Zeit teilzunehmen entschlossen war. Zu seiner Philosophie in Tönen, wie sie aus vielen seiner Werke spricht, ist er nicht unvorbereitet gekommen: Kaum einer hat bereits in jungen Jahren ähnlich bewusst und bildungshungrig aus den geistigen Quellen seiner Zeit geschöpft.

Mozart hat auf seinen Reisen mit wachen Sinnen aufgenommen, was Land und Leute an Anregungen zu bieten hatten. Beethoven, ihm darin gewiss unterlegen, war demgegenüber ein Geistesmensch. Als solcher konnte er im Jahre 1809 mit einigem Recht gegenüber den Verlegern Breitkopf & Härtel von sich behaupten: *Es gibt keine Abhandlung die sobald zu gelehrt für mich wäre ohne auch im mindesten Anspruch auf eigentliche Gelehrsamkeit zu machen, habe ich mich doch bestrebt von Kindheit an, den Sinn der bessern und weisen jedes Zeitalters zu fassen.*[28]

Im Blick auf zwei Zeitgenossen – Friedrich Schiller und Eulogius Schneider – lässt sich Beethovens Drang, auf der Höhe der Zeit zu sein, exemplarisch verdeutlichen. Schillers Dramen gehörten zum Repertoire der Großmann'schen Truppe; die vielerorts – übrigens auch in Wien – durch Zensur unterdrückten «Räuber» waren in Bonn schon in der Saison 1782/83, bald nach der Mannheimer Uraufführung, zu sehen.[29] An der Universität führte der als Freigeist geltende Elias van der Schüren in die Philosophie des von Schiller so verehrten Aufklärers Immanuel Kant ein, welcher in der damals etwa 11 000 Einwohner zählenden Residenzstadt bei den Gebildeten große Beachtung fand.

Schillers Freund Bartholomäus Ludwig Fischenich lehrte an der Bonner Universität seit 1792 griechische Literatur sowie Natur- und Menschenrecht; er pflegte innerhalb seiner Vorlesungen zum «größten Entzücken seiner Zuhörer» gelegentlich Schillers Gedichte vorzutragen.[30] Eine Mitteilung Fischenichs an Charlotte von Schiller aus dem Jahre 1793, Beethoven wolle die «Ode an die Freude» – «und zwar jede Strophe» – bearbeiten, interessiert nicht nur im Blick auf die Vorgeschichte der Neunten Sinfonie, verdeutlicht vielmehr den hohen Stellenwert, den Schillers Idealismus bereits damals für Beethoven hatte.

Mit dem erläuternden Zusatz, Beethoven sei nämlich «ganz für das Große und Erhabene»[31], lässt Fischenich ahnen, dass mehr als eine strophisch-schlichte Liedvertonung zur Disposition stand, nämlich die der griechischen Antike nachempfundene Vorstellung eines dichterisch-musikalischen Gesamtkunstwerks von idealem, gemeinschaftsstiftendem Wert. Nicht von ungefähr haben spätere Generationen im nachfolgenden sinfonischen Stil Beethovens die mitreißende Kraft der Pindar'schen Ode wiederzufinden gemeint, welche der zeitgenössischen Ästhetik als Inbegriff des Erhabenen galt.[32]

Mit großer Wahrscheinlichkeit hat Beethoven auch Eulogius Schneider gehört, der 1789 als Professor der Ästhetik und Schönen Wissenschaften nach Bonn kam – geradezu symbolträchtig im Jahr der Französischen Revolution; denn der säkularisierte Franziskaner hing dieser alsbald weit leidenschaftlicher an als Zeitgenossen wie Herder, Klopstock und Schiller. 1790 veröffentlichte er eine Gedichtsammlung, in der es zur Feier des Sturms auf die Bastille heißt: «Gefallen ist des Despotismus Kette, / Beglücktes Volk! Von deiner Hand: / Des Fürsten Thron ward dir zur Freiheitsstätte, / Das Königreich zum Vaterland.»[33] Später ging er über Straßburg nach Paris, wo er nach aufklärerischer und agitatorischer Tätigkeit 1793 auf dem Schafott endete.

Man muss Beethoven nicht zu einem Anhänger Schneiders machen, um bemerkenswerte Berührungspunkte wahrzunehmen. Dass er Schneiders Gedichte subskribierte, ist als solches nicht sehr aussagekräftig, da der Kurfürst selbst die Subskribentenliste anführte. Doch immerhin komponierte er im März 1790 eine Ode auf den Tod Kaiser Josephs II., des fortschrittlichen Bruders des Kurfürsten Maximilian Franz. Sie sollte anlässlich einer von der bereits erwähnten Lesegesellschaft veranstalteten Trauerfeier erklingen, bei der Schneider die Gedächtnisrede hielt. Die Aufführung kam nicht zustande; indessen ist der Kopfsatz des Werks (WoO 87) ein frühes, ehedem von Johannes Brahms gerühmtes Beispiel für Beethovens Meisterschaft im tragisch-pathetischen Vokalstil.

Darf man Beethoven mit Carl Dahlhaus als einen – freilich enttäuschten – Fürsprecher der Französischen Revolution bezeichnen, einen «Anhänger nicht allein der Idee, sondern auch der wie immer fragmentarischen Realisierung»[34]; oder ist er lediglich ein – dann gleichfalls enttäuschter – Anhänger Napoleons als des Vollstreckers und Vernichters dieser Revolution gewesen? Man kann diese Frage wohl nur in einem allgemeineren Kontext behandeln: In einem uns kaum vorstellbaren Ausmaß waren die von Beethoven apostrophierten *Bessern und Weisen* seiner Zeit von der Sendung beseelt, dem gesellschaftlichen, ja menschheitlichen Fortschritt Kopf, Herz und Hand zu leihen. In Frankreich entfachte die Glut von Aufklärung und Rousseau-Nachfolge das Feuer der Revolution; in Deutschland beförderten konzentrierte Denkbewegungen Philosophie und Kunst des Idealismus. Beiden gemeinsam sind die Ablehnung des «alten», Individualität und Freiheit des einzelnen fesselnden Systems und der Glaube an die Bereitschaft des mündigen Menschen, seine Fähigkeiten in sittlicher Verantwortung zum Wohl des Ganzen einzusetzen.

1922 schrieb Ferruccio Busoni in einem Essay: «Liberté, égalité, fraternité: Beethoven ist ein Ergebnis von 1793 [d. h. des Jahres der Verkündung der französischen Verfassung] und der erste große Demokrat in der Musik. Er will, dass die Kunst ernst, das Leben heiter sei. Sein Werk tönt voll Unmut, denn das Leben ist eben nicht heiter; mit schöner Sehnsucht nach dieser Verwirklichung holt er immer wieder vom Leiden aus, ingrimmig und rebellisch.»

In der Rückschau mögen die Haltungen und Handlungen der Zeitgenossen nicht nur großherzig und weitsichtig, sondern oft genug unklar, halbherzig, widersprüchlich, kontraproduktiv erscheinen. Das hindert jedoch nicht, dass ein Künstler wie Beethoven sich vom Genius der Zeit beflügelt fühlte und ihm seinerseits Flügel verlieh. Gewiss wäre es interessant zu wissen, welche politischen Diskurse der in dieser Hinsicht lebenslang rege Beethoven im einzelnen geführt hat. Doch selbst wenn man darüber mehr wüsste, könnte man den Zeitbeobachter und den Komponisten Beethoven nicht bruchlos zur Deckung bringen: Dass durch seine Sinfonien die Klänge der Französischen Revolution hallen, macht ihn noch nicht zum Jakobiner, und seine Haltung zu Napoleon Bonaparte ist viel zu facettenreich, um sich in bestimmten Werken unmittelbar niederschlagen zu können. Bei allem Reichtum an Perspektiven liegt die Bedeutung der Beethoven'schen Musik in ihrer zusammenfassenden und einenden Kraft; sie ist nicht verfügbar für platte ideologische Vereinnahmungen, freilich offen für Deutungen ihrer Intentionen.

Vieles spricht dafür, dass schon früh nicht nur Beethoven die Größe des Zeitalters gesehen hat, sondern auch das Zeitalter die Größe Beethovens. Namentlich der aufgeklärte Adel setzt ja nicht auf die Masse, kaum auf das gebildete Bürgertum, sondern auf den herausragenden, genialen Einzelnen. Er erhofft sich die notwendige Blutzufuhr von der Adoption großer Geister, träumt von einem neuen Geistesadel. Hatte sich Haydn als Musiker unter Anstrengungen durchbeißen müssen, war Mozart als Wunderkind mehr bestaunt als verehrt worden, so wächst Beethoven – trotz der auch an ihm nicht vorbeigehenden Mühsal des Alltags – alsbald in die Rolle des Genies. Das gilt nicht erst für die Wiener, sondern bereits für die Bonner Zeit.

Symptomatisch sind die Worte, welche Ferdinand Graf Waldstein, musikbegabtes Mitglied der Lesegesellschaft, dem von Bonn Scheidenden als «wahrer Freund» ins Stammbuch schreibt: «Lieber Beethowen! Sie reisen itzt nach Wien zur Erfüllung ihrer so lange bestrittenen Wünsche. Mozart's Genius trauert noch und beweinet den Tod seines Zöglinges. Bey dem unerschöpflichem Hayden fand er Zuflucht, aber keine Beschäftigung; durch ihn wünscht er noch einmal mit jemanden vereinigt zu werden. Durch ununterbrochenen Fleiß erhalten Sie: Mozart's Geist aus Haydens Händen.»[35]

Auch musikhistorisch Gebildete sind geneigt, die Aussagekraft dieser Sätze zu unterschätzen: Zu selbstverständlich ist es inzwischen geworden, von einer Trias Haydn – Mozart – Beethoven zu sprechen. Im Herbst 1792 war dies jedoch ein Zeichen großer Hellsichtigkeit und zugleich ein Ausdruck dafür, welch hohen Stellenwert die Musik nunmehr im Kunst- und Bildungsdenken der Fortschrittlichen einnimmt. Es geht nicht mehr nur darum, einen begabten jungen Komponisten zu einer musikalischen Koryphäe in die abschließende Lehre zu schicken, dergleichen hatte man vielleicht fünf Jahre zuvor mit der ersten Wienreise Beethovens beabsichtigt. Zumindest für den nur acht Jahre älteren Mentor ist zugleich Größeres intendiert: Leitbegriff seiner Vorstellungen ist nicht länger das «musikalische Handwerk», sondern der «Geist der Tonkunst», in den man eingeweiht wird und andere einweiht.

Die Generation vor Beethoven hat für solches Denken die Wege geebnet: Scharfsichtig verweist Graf Waldstein auf (den späten) Mozart. Doch erst jetzt ist der Augenblick gekommen, in dem sich die Musik endgültig von der Vorstellung emanzipiert, stets zu Diensten sein zu müssen, und sich ihrer ganzen Würde bewusst wird. Damit ist natürlich nur eine Tendenz bezeichnet. Denn der junge Komponist, der im Herbst 1792 nach Wien reist, tut dies mit Hilfe des Stipendiums eines Kurfürsten, der vermutlich die Förderung weniger eines Genies als eines Kapellmitglieds im Sinn gehabt hat, das ihm nach Erweiterung seines künstlerischen Horizontes wieder verfügbar sein sollte. Maximilian Franz hat vermutlich selbst den geeigneten Lehrer ausgesucht: Joseph Haydn. Der Sechzigjährige, damals auf der Höhe seines Ruhms, hat im Sommer 1792 anlässlich der Rückkehr von seinem triumphalen England-Aufenthalt Bonn berührt, bei dieser Gelegenheit Beethoven kennen gelernt und vermutlich als potenziellen Schüler akzeptiert.

Am 2. November 1792 verlässt Beethoven Bonn. Die durch Kriegsgebiet führende Reise endet acht Tage später in Wien, wo Beethoven in der heutigen Alsergasse 30 Unterkunft findet – zunächst im «Dachstübchen» des Wenzel Glaser, dann im ersten Stock beim Fürsten Karl Lichnowsky. Diesen zieht es von seinen Familiengütern im ehemals österreichischen Schlesien immer wieder nach Wien, wo er ein eigenes Streichquartett unterhält. Primarius ist Ignaz Schuppanzigh, alsbald einer der treuesten Weggenossen Beethovens; Lichnowsky selbst spielt mitunter die zweite Geige. Um gehobenen gesellschaftlichen Ansprüchen gerecht zu werden, muss Beethoven sich *völlig neu equippiren*[36] und nach einem Tanzmeister Ausschau halten.

Ende des Jahres stirbt Beethovens Vater, familiäre Bindungen bleiben jedoch erhalten: Auch die Brüder Kaspar Karl und Nikolaus Johann ziehen nacheinander nach Wien; Karl betätigt sich bis zu seinem Tod am 15. November 1815 als Kassenbeamter der staatlichen Verwaltung, gelegentlich auch als Beethovens Sekretär; Johann lebt zunächst als Apothekergehilfe in Wien, seit 1808 als selbständiger, zunehmend wohlhabender

Apotheker in Linz. Da sich außerdem die Freunde Franz Gerhard Wegeler zeitweilig und Stephan von Breuning dauerhaft in Wien niederlassen, ist Beethoven anfänglich zur Genüge von Landsleuten umgeben. Dies umso mehr, als sein alter Geigenlehrer Franz Anton Ries, Konzertmeister im Bonner Hoforchester, im Jahre 1801 seinen Sohn Ferdinand zum Klavierunterricht bei Beethoven nach Wien schickt. Nähere Bekanntschaften mit Berufsmusikern und auf hohem Niveau musizierenden Dilettanten ergeben sich nahezu von selbst; freundschaftliche Bande verknüpfen Beethoven u. a. mit dem aus Böhmen stammenden Violinisten Wenzel Krumpholtz und dem Cellisten Nikolaus Zmeskall von Domanovecz.

Zum engsten Freundeskreis zählt neben Wegeler und Breuning der fast gleichaltrige Karl Amenda, der sich nach vollendetem Theologiestudium und einer dreijährigen Tätigkeit als Geigenlehrer und -solist in den Jahren 1798/99 in Wien aufhält und Beethovens Aufmerksamkeit zunächst als vorzüglicher Streicher erringt. Die Freundschaft setzt sich in Briefen fort, nachdem Amenda in seine kurländische Heimat zurückgekehrt ist.

Über Beethovens Verhältnis zu Frauen ist aus den ersten Jahren wenig bekannt; der Überlieferung nach hat die aus Bonn stammende Sängerin Magdalena Willmann seinen Heiratsantrag zurückgewiesen, «weil er so häßlich war, und halb verrückt»[37]. Das scheint auf der einen Seite übertrieben: Mögen die aus den frühen Wiener Jahren recht zahlreich überlieferten, Beethoven meist mit modischer «Titus»-Frisur zeigenden Bildnisse auch geschönt sein, so weisen sie doch nicht auf ein unattraktives Äußeres hin.

Andererseits erinnert sich auch Frau von Bernhard, geb. von Kissow, die damals als junge Dilettantin durch ihr Beethoven-Spiel Aufsehen erregte: «Er war klein und unscheinbar, mit einem häßlichen rothen Gesicht voll Pockennarben. Sein Haar war ganz dunkel. Sein Anzug sehr gewöhnlich und durchaus nicht von der Gewähltheit, die in jenen Tagen und besonders in unseren Kreisen üblich war. Dabei sprach er sehr im Dialect und in einer etwas gewöhnlichen Ausdrucksweise, wie überhaupt sein Wesen nichts von äußerer Bildung verrieth, vielmehr unmanierlich in seinem ganzen Gebahren und Benehmen war. Er war sehr stolz und ich habe gesehen, wie die Mutter der Fürstin Lichnowsky, die Gräfin Thun, vor ihm, der in dem Sopha lehnte, auf den Knieen lag, ihn zu bitten, er möge doch etwas spielen. Beethoven that es aber nicht. Die Gräfin Thun war eine sehr excentrische Frau.»[38]

Hier kommt Beethovens Verhältnis zum Wiener Adel ins Blickfeld, das man ohne Übertreibung als unkonventionell bezeichnen kann: Viele jüngere Adelige in Wien haben Beethoven keineswegs nur in traditioneller Weise als Attraktion ihrer Salons angesehen, sondern als Künstler aufrichtig bewundert und im Geist des napoleonischen Zeitalters als kraftvolle und richtungsweisende Identifikationsfigur geradezu aufgebaut. Die «ganz ungebändigte Persönlichkeit», die Goethe im Jahr 1812 an Beethoven feststellte[39], scheint sie schon damals fasziniert zu haben.

Der nur neun Jahre ältere Karl Lichnowsky macht hier den Anfang. Beethoven soll nicht nur seine Musikmatineen und -soireen als Pianist und Improvisator bereichern und seinem Quartett neue Kompositionen liefern – er soll einen Freund abgeben, mit dem man die – sicherlich sehr geräumige – Wohnung und selbst Mahlzeiten teilt. Für Beethoven, der den Fürsten 1801 im Brief an Wegeler als seinen *wärmsten Freund* bezeichnet[40], ist dies ehrenvoll und beengend zugleich. Derselbe Wegeler zitiert Beethoven mit dem Ausspruch: «*Nun soll ich täglich um halb 4 Uhr zu Hause sein, mich etwas besser anziehen, für den Bart sorgen usw. – Das halt' ich nicht aus!*»[41]

Doch nachdem sein Bonner Dienstherr Maximilian Franz seine Gehaltszahlungen aufgrund der Kriegswirren im März 1794 eingestellt hat, muss Beethoven die Hilfe Lichnowskys verstärkt in Anspruch nehmen. Immerhin geht es ihm so gut, dass er in der heutigen Löwelstraße hinter der Minoritenkirche eine angemessene Wohnung beziehen, ein Reitpferd mieten und einen Bedienten einstellen kann. Ab 1800 garantiert ihm Fürst Lichnowsky ein Jahresgehalt von 600 Gulden.

Schon bald festigt sich Beethovens Ruf als Virtuose auf

Beethoven im Jahr 1800. Porträt von Johann Neidl nach einer Zeichnung von Gundolph Ernst Stainhauser von Treuberg. Das Bildnis war beim Verleger Artaria in Wien zu haben und damit eine Art offizielles Porträt.

dem Klavier. 1795 tritt er erstmals öffentlich auf, spielt seine Klavierkonzerte und fantasiert in einem Konzert der Tonkünstlergesellschaft; im gleichen Jahr unternimmt er eine – biographisch bisher wenig erhellte – Konzertreise, u. a. nach Berlin, Dresden, Prag und Budapest. 1799 trifft er sich zu einem freundschaftlichen Wettstreit mit dem Pianisten und Mozartschüler Joseph Wölfl. Im Jahr darauf kommt es beim Grafen Moritz von Fries zu einer Art Kräftemessen mit dem Pianisten Daniel Steibelt. Nach der Erinnerung des böhmischen Komponisten Wenzel Johann Tomaschek führte Steibelt ein Klavierquintett seiner Komposition auf und fantasierte anschließend über ein damals in Wien beliebtes Opernthema, über das Beethoven kurz zuvor die Variationen seines Trios op. 11 geschrieben hatte. «Dieses empörte die Verehrer Beethovens und ihn selbst; er mußte nun ans Klavier, um zu phantasiren; er ging auf seine gewöhnliche, ich möchte sagen ungezogene Art ans Instrument, wie halb hingestoßen, nahm im Vorbeigehen die Violoncellstimme von Steibelts Quintett mit, legte sie (absichtlich?) verkehrt aufs Pult und trommelte sich mit einem Finger von den ersten Tacten ein Thema heraus.»[42]

Es gibt jedoch noch einen anderen Beethoven als denjenigen, der sich in Wien, der neben Paris und London bedeutendsten Musikmetropole Europas, seinen Weg als ausübender Künstler bahnt und in diesem Sinne durchaus auf seine Karriere bedacht ist: den ohne Aufsehen lernenden und sich weiterbildenden Beethoven. Die Musikgeschichte kennt selbst angesichts eines Heinrich Schütz keinen Komponisten, der die musikalische Kunst mit vergleichbarer Energie und Ausdauer nach allen Richtungen hin studiert hätte. In Beethovens Eifer schlägt sich freilich auch der gesellschaftliche Wandel nieder: Im Zeitalter des Genies kann es eine homogene Musik- und Kompositionslehre nicht mehr geben, und künstlerisches Streben im Dienste des Fortschritts kennt keinen Stillstand.

Nach traditionellen Vorstellungen hatte Beethoven bei Neefe ausgelernt, als ihn sein Kurfürst zu Haydn nach Wien schickte, wo er gleichsam die höheren Weihen erhalten sollte. Doch der Unterricht bei Haydn genügt dem jungen Künstler nicht; zumindest scheinen die beiden bei aller gegenseitigen Wertschätzung nicht problemlos miteinander ausgekommen zu sein. Jedenfalls studiert Beethoven hinter dem Rücken des Altmeisters auch bei dem seinerseits gründlich ausgebildeten Singspielkomponisten Johann Schenk. Doch obwohl schon dort der Kontrapunkt eine nicht unerhebliche Rolle gespielt haben dürfte, setzt er seine Studien im strengen Satz, diesmal auf Empfehlung des nach London gereisten Haydn, bei Johann Georg Albrechtsberger, dem anerkannten Musiktheoretiker, fort. Da dieser gerade Kapellmeister am Stephansdom geworden ist, wird er Beethoven auch in die Komposition von katholischer Kirchenmusik eingeführt haben.

Doch damit nicht genug: Von Antonio Salieri lässt Beethoven sich im «freyen Styl»[43] und speziell in der italienischen Gesangskomposition unterweisen, bei Schuppanzigh nimmt er Stunden im Violinspiel – nicht, um sich als Geigenvirtuose auszubilden, sondern um in seinen Kompositionen die Violine möglichst angemessen und vielseitig einsetzen zu können. In demselben Sinne dürfte er von dem Cellisten und Kontrabassisten Domenico Dragonetti und dem Hornisten Johann Wenzel Stich, genannt Punto, instrumententechnische Details erfahren haben. Am Klavier unterrichtet er selbst – meistenteils Standespersonen. 1801 nimmt er den jungen Carl Czerny, der als Komponist heute nur noch durch seine Etüden bekannt ist, und – wie erwähnt – Ferdinand Ries als Schüler, teilweise auch als Helfer, an.

Im Jahre 1795 fühlt sich Beethoven als Komponist bereit, sein Opus 1 zu präsentieren: drei seinem Lehrer Haydn gewidmete Klaviertrios. Schon vorher hat er komponiert und veröffentlicht, doch nunmehr formt sich die Vorstellung, sein Œuvre könne und müsse auf öffentlich nachvollziehbare Weise hohes künstlerisches Streben dokumentieren: jedes neue Werk als Meilenstein auf dem Weg zum *Edlen, Besseren.* In dieser Konsequenz ist ein solch emphatischer Gedanke neu, und deshalb ist er von Beethoven auch nicht konsequent in die Tat umgesetzt worden; es ist jedoch eindrucksvoll zu beobachten, wie Beethoven über die Vergabe der adelnden Opuszahlen im wesentlichen selbst bestimmt.

Seine Entscheidung für eine kontinuierliche Opuszählung in eigener Regie hat allerdings auch kommerzielle Gründe: Sie macht die Verhandlungen mit den Verlagen übersichtlicher, erleichtert die Identifizierung der einzelnen Werke und erschwert Raubdrucke. Freilich muss man erst einmal die Künstlerpersönlichkeit Beethovens haben, um ein solches System durchsetzen und den untereinander konkurrierenden Verlegern die eigenen Bedingungen bis zu einem gewissen Grade diktieren zu können. Schließlich gelten Beethovens Werke ja keineswegs als leichte Ware: Der Wiener Klavierlehrer Andreas Streicher legt seiner jungen Klavierschülerin, dem erwähnten Fräulein von Kissow, die Klaviersonaten op. 2 mit dem Kommentar vor, «da seien neue Sachen, welche die Damen nicht spielen wollten, weil sie ihnen zu unverständlich und zu schwierig seien»[44].

Bei alledem muss man sich vor Augen halten, dass das europäische Musikleben um 1800 einen erstaunlich hohen Stand erreicht hat: Neben anderen Genres ist Raum für eine «Bildungsmusik» – keine «gelehrte» Musik nach Art der «Kunst der Fuge», sondern Musik, die auf hohem Niveau am gesellschaftlichen Diskurs teilhaben will; sie ist anspruchsvoll und differenziert, doch zugleich vom Willen zur Allgemeinverständlichkeit geprägt. Vor allem Haydn, unter diesem Vorzeichen wahrlich Beethovens Lehrmeister, ist hier Schrittmacher gewesen. «Meine Sprache versteht man in der ganzen Welt», bemerkt er selbstbewusst vor seiner ersten London-Reise zu Mozart[45]; und in der Tat gelingt es besonders ihm, das Ideal des Klassischen zu erfüllen: zugleich gedankenreich und bündig, unverwechselbar und allgemein gültig, spontan und dauerhaft zu formulieren. Konnte Haydn sein Werk erst mit wachsender Berühmtheit in solchem Sinne etablieren, so stellt Beethoven diesen Anspruch von Anfang an.

Robert Schumann vollführt 1835 einen eindrucksvollen Gedankenflug über die Geschichte der Musik und des Tanzes vor dem Horizont «politischer Umwälzungen» und widmet sich dabei namentlich dem Generationenwechsel von Haydn und Mozart zu Beethoven: «Hier und da sah man wohl noch eine gravitätische Perücke, aber die vorher steif zusammengeschnürten Leiber bewegten sich schon um Vieles elastischer und graziöser. Bald tritt der junge Beethoven herein, athemlos, verlegen und verstört, mit unordentlich herumhängenden Haaren, Brust und Stirne frei wie Hamlet, und man verwunderte sich sehr über den Sonderling; aber im Ballsaal war es ihm zu eng und langweilig, und er stürzte lieber in's Dunkle hinaus durch Dick und Dünn und schnob gegen die Mode und das Ceremoniell und ging dabei der Blume aus dem Weg, um sie nicht zu zertreten.»[46]

Mag diese Charakteristik das Erscheinungsbild des jungen Beethoven aus romantischer Blickrichtung beleuchten, so ist sie doch seiner ersten unter einer Opuszahl veröffentlichten

Klaviersonate – derjenigen in f-Moll op. 2,1 – wie auf den Leib geschrieben – abgesehen davon, dass deren erster Satz natürlich nicht nur den atemlos hereinstürzenden Jüngling kennzeichnet, sondern auch bereits den Meister der dialektischen Verschränkung und lakonischen Kürze. Die Verbindung des expressiven mit dem konstruktiven Moment wird für Beethovens weiteres Schaffen konstitutiv sein.

Klaviersonate op. 2,1, Anfang

Als weitere Klaviersonaten entstehen bis 1800 die Opera 7, 10, 13 und 14. Es ist fast selbstverständlich, dass diese Gattung im frühen Schaffen des Klaviervirtuosen überwiegt: In ihr lässt sich der Gegensatz von Werk und Darstellung, Komposition und Improvisation, Ordnung und Ausdruck am leichtesten und für die Hörer am verständlichsten aufheben. Die Vorstellung, der Komponist spiele sich selbst, darf hier noch leben; das wird nicht zuletzt an Vortragsbezeichnungen wie *Largo appassionato* (op. 2,2) und Titeln wie *Pathétique* (op. 13) deutlich. Die beiden kurz nach 1800 entstandenen Sonaten op. 27 erhalten zur Unterstreichung dieses Gedankens im Titel ausdrücklich den Zusatz *quasi una Fantasia*.

Von den Klaviersonaten ist der Weg zur Kammermusik indessen nicht weit; davon zeugen unter anderem Sonaten für Violoncello op. 5, für Violine op. 12 und für Horn op. 17, die unterschiedlich besetzten Trios (op. 1, 3, 8, 9, 11, 44), Quintette, Sextette und Septette (op. 4, 16, 20, 71). Einen ersten Höhepunkt in der Darstellung eines stimmigen und zugleich homogenen Satzes bilden die Streichquartette op. 18, in denen sich Beethoven die in dieser Gattung traditionell kunstvolle Schreibweise nicht nur Mozarts und Haydns, sondern auch

Emanuel Aloys Försters aneignet. Die Gattung des Streichquartetts bildet nach Auffassung des Musikforschers Hans Mersmann[47] eine Brücke zwischen der Privatheit der Klaviersonate und der Öffentlichkeit der Sinfonik; letztere kündigt sich mit den beiden ersten Klavierkonzerten in B-Dur und C-Dur auf beachtliche, gleichwohl noch behutsame Weise an.

«Freiheit, Weitergehn in der Kunstwelt»

Jahre des Ruhms (1800–1815)

Der «öffentliche» Beethoven

Von vornherein Anerkennung als freischaffender Komponist zu finden – das ist vor Beethoven noch niemandem gelungen. Will ein Musiker von seiner Profession leben, so hat er zwischen einer fest besoldeten Stelle, privater Lehrtätigkeit oder einer Laufbahn als Virtuose zu wählen. Zwar haben sich schon Haydn und Mozart größere Freiheit erkämpft – Ersterer jedoch erst als Pensionär, Letzterer ohne durchschlagenden Erfolg. Beethoven ist schon in jungen Jahren anerkannt, und trotz der unruhigen Zeiten verbreitet sich sein Ruhm früh über ganz Mitteleuropa. Es will etwas besagen, wenn ein Rezensent in der Leipziger «Allgemeinen Musikalischen Zeitung» bereits 1803 sein «schon lange gefasstes Urtheil» ausspricht, «dass Beethoven mit der Zeit eben die Revolution in der Musik bewürken kann, wie Mozart»[48].

Zunächst ist es der Klavierkomponist, welcher in der von Hugo Riemann als «musikalisch hoch kultiviert»[49] bezeichneten Wiener Gesellschaft den Ton angibt. Ein kleines, von dem Schüler Ferdinand Ries überliefertes Alltagsdrama, das sich um das Jahr 1803 abgespielt haben muss, wirft ein charakteristisches Licht auf die Situation. Beethoven spielt den Freunden Ries und Wenzel Krumpholtz erste Versionen des späteren *Andante Favori* WoO 57 vor. Ries begibt sich alsbald voller Begeisterung zum Fürsten Lichnowsky, um diesem die eben gehörte Musik aus dem Kopf möglichst getreu zu rekonstruieren. Der seinerseits entzückte Lichnowsky lässt sich von Ries Bruchstücke des *Andante* beibringen, um sie Beethoven am nächsten Tag anlässlich eines Besuches mit dem scherzhaften Kommentar vorzuspielen, «auch er habe etwas componirt, welches gar nicht schlecht sei»[50]. Beethoven ist aufgebracht und spielt Ries danach nie mehr etwas vor.

Im Falle ihrer Authentizität könnte die Anekdote belegen, wie unmittelbar und intensiv man sich in Beethovens Umgebung mit seiner Klaviermusik auseinander gesetzt hat, zugleich freilich ein Schlaglicht auf das Selbstverständnis des Künstlers werfen: Wo es um sein Werk geht, versteht er auch gegenüber Freunden und selbst in kleinen Dingen keinen Spaß; er allein bestimmt das Schicksal seiner Kompositionen, und niemand darf hinter seinem Rücken mit ihnen hantieren. Mozart, sich seiner Person allzeit sicher, hätte vielleicht nur gelächelt. Beethoven, seine Identität vor allem über sein Werk herstellend, muss sich dessen in jedem Augenblick rigoros vergewissern. Dem entspricht der gleichfalls von Ries überlieferte Ausspruch angesichts eines unaufmerksamen und störenden Zuhörers: *Für solche Schweine spiele ich nicht.*[51]

Als Ries in einer Aufführung des Dritten Klavierkonzerts in c-Moll eine riskante Kadenz spielt, die vorzutragen ihm der Lehrer untersagt hatte, soll dieser vor Empörung zunächst «einen gewaltigen Ruck mit dem Stuhle» gemacht, dann aber, als die Kadenz gelingt, laut bravo geschrien und damit das Publikum elektrisiert haben.[52] Man sieht und hört, wer hier den Ton angibt.

Das weiß auch der berühmte Geigenvirtuose George Polgreen Bridgetower, welcher im Mai 1803 ein Konzert zu seinen Gunsten veranstaltet. Der schöne Mulatte, einstmals gefeiertes Wunderkind, will sich bei den Wienern mit einer Violinkomposition Beethovens einführen, muss freilich auf deren Vollendung quälend lange warten. Als der Komponist das später «Kreutzer-Sonate» genannte Opus 47 endlich fertig gestellt hat, ist es zu spät, um noch Stimmen auszuschreiben. So muss Bridgetower nach der originalen Handschrift extemporieren, während Beethoven selbst zum Teil sogar nur die Kompositionsskizze vor sich liegen hat.

Wie selbstverständlich Beethoven sich im Wiener Musikleben bewegt, dokumentiert ein Bridgetower in diesen Tagen

Bedeutende Instrumentalisten gaben Beethoven Impulse für eine instrumentengerechte Kompositionsweise. Für die Durchsetzung seines Werks waren sie von kaum zu überschätzender Bedeutung.

Der Geiger Ignaz Schuppanzigh. Lithographie von Bernhard Edler von Schrötter

Der Hornist Giovanni Punto (eigentlich Johann Wenzel Stich). Kupferstich, teilweise radiert, von Simon Charles Miger nach einer Zeichnung von Charles Nicolas Cochin d. J., 1782

Der Geiger George Polgreen Augustus Bridgetower. Zeichnung von Henry Edridge

übersandtes Billett: *Kommen sie, mein Lieber B. heute um 12 Uhr zu graf deym d. i. dahin, wo wir vorgestern zusammen waren, sie wünschen vieleicht etwas so von ihnen spielen zu hören, das werden sie schon sehen, ich kann nicht eher als gegen halb 2 uhr hinkommen, und bis dahin freue ich mich im bloßen angedenken auf sie, sie heute zu sehen – ihr Freund Beethowen.*

Die Kunst des Streichquartetts, von Haydn und Mozart im Wiener Musikleben auf hohem Niveau etabliert, erfährt dort durch Beethoven noch einmal einen Prestigegewinn. Als im Jahr 1808 der russische Gesandte Graf André Rasumowsky ein neues Schuppanzigh-Quartett protegiert, wird Beethoven, wie sich Ignaz Seyfried erinnert, «so zu sagen Hahn im Korbe; Alles was er componirte, wurde dort brühwarm aus der Pfanne durchprobirt»[53]. Letzteres gilt nicht zuletzt für die drei so genannten Rasumowsky-Quartette op. 59 aus den Jahren 1805/06, die in ihrer Verbindung von Abstraktion und Leidenschaft einen neuen Höhepunkt in einem Genre darstellen, welches Goethe zu der Assoziation anregte, dass «vier vernünftige Leute sich untereinander unterhalten»[54].

Um sich als der Komponist des neuen Jahrhunderts zu etablieren und in diesem Sinne die Öffentlichkeit für sich zu gewinnen, bedarf es freilich vor allem sinfonischer Ehren. Vor diesem Erwartungshorizont gibt Beethoven am 2. April des Jahres 1800 «eine große Musikalische Akademie zu seinem Vortheile»; dass man ihm aus diesem Anlass das Burgtheater öffnet, darf als besonderer Gunstbeweis gewertet werden. Der Komponist gestaltet sein erstes öffentliches und allein verantwortetes Konzert in Wien symbolträchtig: Während das Publikum in solchen Veranstaltungen in der Regel mit bunt gemischten Programmen und vielen Virtuosennummern umworben wird, beschränkt sich der noch nicht Dreißigjährige auf die drei Namen Haydn, Mozart und Beethoven. Im selben Augenblick, in dem die Mitwelt sich anschickt, die Wiener Komponisten-Trias zu Klassikern schlechthin zu adeln, stellt Beethoven sich gleichsam selbst an die Spitze einer solchen Initiative.

Immerhin darf der vor acht Jahren verstorbene, fast schon legendäre Mozart den Abend mit einer großen Sinfonie eröffnen; doch Lehrmeister Haydn, damals auf der Höhe seines Ruhms und von den Wienern hoch geehrt, ist nur mit zwei Gesangsnummern aus seiner «Schöpfung» vertreten, die der Öffentlichkeit freilich erst seit einem Jahr bekannt und deshalb von großer Aktualität ist. Im Mittelpunkt steht der veranstaltende Künstler selbst: Er fantasiert auf dem Klavier, führt das Septett op. 20 sowie sein Erstes Klavierkonzert auf und lässt zum krönenden Abschluss die Erste Sinfonie in C-Dur erklingen, deren Tonart wohl nicht von ungefähr diejenige von Mozarts letzter, der «Jupiter-Sinfonie», aufnimmt.

Der ersten eigenen Akademie lässt Beethoven im April 1803 eine weitere im Theater an der Wien folgen; diesmal steht neben dem Dritten Klavierkonzert in c-Moll und dem Oratorium *Christus am Ölberge* die Zweite Sinfonie auf dem Programm. Für die Erstaufführung der ein Jahr später abgeschlossenen Dritten Sinfonie, der *Eroica*, ist der traditionelle Rahmen einer Akademie nicht länger geeignet: Musikern, die für einen Abend ad hoc engagiert und bezahlt werden müssen, ist weder zuzumuten noch zuzutrauen, dass sie ein so schwieriges und aufwendiges Werk mit der notwendigen Konzentration proben, auch die Hörer dürften sich vermutlich überfordert fühlen.

Leichten Herzens überlässt Beethoven Proben und erste Aufführungen der durch Aushilfen verstärkten Privatkapelle des Fürsten Lobkowitz. Der preußische Prinz Louis Ferdinand, der sich das Werk im Herbst 1804 auf des Fürsten Sommersitz im böhmischen Raudnitz vortragen lässt, soll zwei Wiederholungen erbeten haben. Just solche Verhältnisse wünscht sich Beethoven: ein nimmermüdes Orchester sowie enthusiastische und zugleich sachverständige Zuhörer. Auch die ersten Wiener Aufführungen finden im halbprivaten Hauskonzert des Bankiers Würth beziehungsweise im Palais Lobkowitz statt; erst nachdem der Boden auf diese Weise bereitet ist, wagt Beethoven im April 1805 eine erste öffentliche Aufführung unter eigener Leitung im Theater an der Wien.

Das leichter eingängige Violinkonzert op. 61 erklingt im Dezember 1806 von vornherein in einer öffentlichen Akademie des Geigers Franz Clement, für den es auch komponiert ist. Indessen kann Beethoven auch weiterhin die Hilfe des Fürsten Lobkowitz in Anspruch nehmen. Im März 1807 organisiert dieser an Engagement für Beethoven kaum zu übertreffende Gönner in seinem Palais zwei Subskriptionskonzerte, in denen unter anderem das von Beethoven selbst vorgetragene Vierte Klavierkonzert, die Vierte Sinfonie und die Ouvertüre zum Trauerspiel *Coriolan* zum ersten Mal aufgeführt werden.

Eine eigene Akademie veranstaltet Beethoven wieder am 22. Dezember 1808 im Theater an der Wien. Die Liste der an diesem vierstündigen Konzertabend erstmals vor einem öffentlichen Publikum aufgeführten Werke ist mehr als imponierend: Außer der schon über ein Jahrzehnt alten Szene und Arie *Ah perfido!* op. 65 erklingen die Fünfte Sinfonie, die *Pastorale*, das Vierte Klavierkonzert, die Chorfantasie op. 80 und Teile der C-Dur-Messe op. 86. Man vernimmt nicht ohne Bewegung, dass dem Komponisten das notwendige Geschick fehlt, um die hochbedeutende Veranstaltung zu einem wirklichen Publikumserfolg werden zu lassen: Am selben Abend findet im Burgtheater ein Benefizkonzert der Hofmusiker statt, im Saal des Theaters an der Wien ist es bitterkalt, das bunt zusammengewürfelte Orchester hat kaum proben können und zeigt sich deshalb nicht von seiner besten Seite. In der Chorfantasie muss Beethoven sogar abklopfen und neu beginnen lassen.

Es spricht für sich, dass selbst der im Konzert anwesende Johann Friedrich Reichardt, Beethovenkenner und -verehrer, die Bedeutung der beiden Sinfonien angesichts dieser widrigen Umstände auf Anhieb nicht zu ermessen vermag. Lobt er an der *Pastorale* immerhin «lebhafte Malerei und glänzende Gedanken und Figuren», so erscheint ihm die Fünfte schlicht «zu lang». Für Beethoven, der in Reichardts Wahrnehmung damals bereits «die unselige hypochondrische Grille im Kopf und Herzen hat, daß ihn hier a l l e s verfolge und verachte», dürfte die geringe Resonanz nicht einmal überraschend gewesen sein; er setzt inzwischen nur noch wenig auf das Kunstverständnis des «gutmütigen, lustigen Wieners»[55]. Außerdem gibt es in Wien keine Konzertkultur nach Londoner, Pariser oder Leipziger Vorbild und damit keinen von vornherein unstrittigen Platz für die Aufführung großer sinfonischer Musik.

Je länger, je mehr entwickelt Beethoven eine Mischung aus Trotz und höherem Selbstbewusstsein: Sind diese großen Schöpfungen wirklich Jahrhundertwerke, so werden sie ihren Weg unabhängig von Gunst oder Ungunst einer einzigen Stunde machen! Es mag kein Zufall sein, dass Beethoven bei der öffentlichen Vorstellung des Fünften Klavierkonzerts nicht mehr auf Wien baut, sondern das Werk 1811 im Leipziger Gewandhaus uraufführen lässt. Doch manchen Misserfolgen zum Trotz: Es dürfte selten vorgekommen sein, dass die Wiener innerhalb eines Jahres nicht mehrere Instrumentalkompositionen Beethovens hätten öffentlich hören können.

Im heutigen Bewusstsein hat sich Beethovens Aufstieg im ersten Jahrzehnt des 19. Jahrhunderts vor allem im Bereich der so genannten absoluten Musik vollzogen, namentlich innerhalb der Gattungen der Klaviersonate, des Streichquartetts und der Sinfonie. Wenn man freilich bedenkt, dass Mozart in jener Zeit vor allem durch seine Opern und sein Requiem fortlebt, Haydn nicht zuletzt durch seine beiden großen Oratorien in aller Munde ist, wird deutlich, dass Bühnen- und Kirchenmusik beim breiten Publikum in der Regel auf weit größere Resonanz stoßen: Es gibt Handlung, Tanz, Text, Gesang und Zeremoniell – all das, worauf der Laie baut, welcher – in der guten Gesellschaft Kants – der reinen Instrumentalmusik ob ihres größeren Abstraktionsgrades respektvoll, aber distanziert gegenübersteht.

Zwar bedient Beethoven diesen Markt nicht in aller Ausführlichkeit, jedoch legt er bis zum Jahre 1808 in jeder der einschlägigen Gattungen ein exemplarisches Großwerk vor: eine Ballettmusik, ein Oratorium, eine Oper und eine Messe. Die 1801 erstaufgeführte Musik zu Salvatore Viganòs Ballett *Die Geschöpfe des Prometheus* wird in ihrer zeit- und ideengeschichtlichen Bedeutung leicht unterschätzt. Das Thema Prometheus war damals hochaktuell: Der Lichtbringer und Menschheitsbeglücker Prometheus wurde zum Idol von Aufklärung und Idealismus und gemahnte überdies an Napoleon Bonaparte, der damals offen und versteckt als moderner Prometheus gefeiert wurde. Viganò war seinerseits kein Ballettmeister alten Stils, sondern ein Vorkämpfer des als fortschrittlich geltenden Ausdruckstanzes. Es gibt keinen Zweifel, dass Beethoven durch die über zwanzig Vorführungen dieses Balletts in der Hofburg stärker ins Licht der Öffentlichkeit gerückt ist als durch die singuläre Aufführung einer einzelnen Sinfonie.

Der Wiener Musikaliensammler Alois Fuchs erzählt, Haydn habe Beethoven auf der Straße mit den Worten angesprochen: «‹Nun! gestern habe ich Ihr Ballett gehört, es hat mir sehr gefallen!› Beethoven erwiderte hierauf: ‹O, lieber Papa! Sie sind sehr gütig, aber es ist doch noch lange keine Schöpfung!› Haydn, durch diese Antwort überrascht und beinahe verletzt, sagte nach kurzer Pause: ‹Das ist wahr, es ist noch keine Schöpfung, glaube auch schwerlich, daß es dieselbe je erreichen wird› – worauf sich beide – etwas verblüfft – gegenseitig empfahlen.»[56]

Sollte dies nur eine Anekdote sein, so wäre sie doch gut erfunden; jedenfalls komponiert Beethoven zwei Jahre später binnen weniger Wochen sein eigenes Oratorium: *Christus am Ölberge*. Das vor allem wegen seiner gattungstypischen, jedoch als unmodern empfundenen Dichtung kritisierte Opus 85 macht in den nächsten Jahrzehnten zwar erfolgreich seine Runde durch die deutschen Oratorienvereine, wird jedoch vom Komponisten selbst immer weniger geschätzt.

Nachdem Beethoven mit seinem Passionsoratorium im April 1803 in Wien einen Achtungserfolg errungen hat, erscheint er dem Direktor des Theaters an der Wien, Emanuel Schikaneder, auch für einen Opernauftrag gut zu sein. Beethoven bezieht im Theatergebäude eine Art Dienstwohnung und beginnt mit *Vestas Feuer*, einer *großen heroischen Oper*. Aus Unzufriedenheit mit dem Libretto bricht er die Komposition bereits nach der ersten Szene ab, um sich stattdessen dem Leonoren-Thema und damit der «Rettungsoper» zuzuwenden – einem Genre, das im Zuge der Französischen Revolution und besonders durch den von Beethoven verehrten Luigi Cherubini und seinen populären «Wasserträger» Bedeutung erlangt hat.

Dessen Librettist Jean Nicolas Bouilly hat auch eine «Léonore» in seinem Repertoire, und ebendiese legt Beethoven seiner neuen Oper zugrunde. Die deutsche «Leonore» ist ihrem Komponisten geradezu auf den Leib geschnitten: Gattenliebe besiegt widriges Schicksal, Gerechtigkeit triumphiert über Tyrannenwillkür. Es ist gut denkbar, dass Beethoven die Oper mit dem Gedanken konzipiert hat, sie demnächst in Paris aufzuführen, wohin es ihn damals mit starken Kräften zieht.

Die Arbeit an der Partitur fällt in die Jahre 1804/05; die wegen Zensurschwierigkeiten verzögerte Uraufführung findet – gegen seinen Willen unter dem Titel *Fidelio oder die eheliche Liebe* – am 20. November 1805 statt. Sie wird laut Bericht der Leipziger «Allgemeinen Musikalischen Zeitung» «sehr kalt aufgenommen»[57] – vielleicht auch deshalb, weil manch einer der hoch gestellten Beethovenverehrer vor den französischen Belagerern aus Wien geflohen ist. Es gibt nur zwei Wiederholungen; auch eine vom Komponisten in dramaturgischer Hinsicht bereitwillig gestraffte Fassung erlebt im Jahr darauf nur zwei, allerdings erfolgreiche Aufführungen. Nach einem Streit mit dem Theaterleiter Peter von Braun fordert Beethoven die Partitur zurück; gleichwohl erscheint 1810 ein Klavierauszug.

Noch weniger Glück hat der Komponist mit der C-Dur-Messe op. 86, einem Auftragswerk für den Fürsten Nikolaus Esterházy. Die im September 1807 in Eisenstadt stattfindende Erstaufführung kommentiert der Fürst – so lautet die Überlieferung – mit den Worten: «Aber, lieber Beethoven, was haben Sie denn da wieder gemacht.»[58] Um den Druck der Partitur durch Breitkopf & Härtel muss Beethoven lange kämpfen, ohne deshalb an seinem Werk zu zweifeln. Franz Schubert soll es hoch geschätzt haben.[59]

Im Herbst 1809 erhält Beethoven vom Burgtheater den Auftrag, eine Bühnenmusik zu Goethes «Egmont» zu schreiben. Die Komposition besteht nicht nur aus der bekannten Ouvertüre, umfasst vielmehr neun weitere Gesangs- und Instrumentalnummern – darunter eine programmatische *Musik, Clärchens Tod bezeichnend*, und ein *Melodram* zu Egmonts Worten «Süßer Schlaf». Großen Erfolg hat Beethoven Anfang des Jahres 1812 mit den Bühnenmusiken zu den Festspielen *Die Ruinen von Athen* op. 113 und *König Stephan* op. 117 – Auftragswerken, deren Dichtung August von Kotzebue für die Einweihung des Theaters in Pest (Budapest) geschrieben hatte.

Falls Beethovens Prestige in diesen Jahren vor allem in Wien einen leichten Rückschlag erlitten haben sollte, so wird dieser durch die Erstaufführung der Siebten Sinfonie und des Tongemäldes *Wellingtons Sieg oder die Schlacht bei Vittoria* Ende 1813 mehr als wettgemacht: Beethoven tritt ins volle Rampenlicht der Öffentlichkeit und gewinnt die Sympathie geradezu aller Wiener. Es ist die Zeit des nationalen Aufbruchs der sich gegen Napoleon verbündenden europäischen Völker. Im Winter 1812/13 scheitert Bonaparte in Russland, im Juni 1813 reibt der englische Feldmarschall Wellington die französischen Truppen bei Vittoria in Nordspanien auf, im Oktober 1813 wird Frankreichs Niederlage in der Völkerschlacht bei Leipzig besiegelt.

Ohne deshalb an seiner generellen Bewunderung für Napoleon irrezuwerden, nimmt Beethoven an der allgemeinen Begeisterung teil. Er komponiert das «Schlachtgemälde» – zunächst auf Anregung von Johann Nepomuk Mälzel für dessen «Panharmonikon» genanntes Automatenwerk. Für zwei Wohltätigkeitsakademien am 8. und 12. Dezember 1813 richtet er es für großes Orchester ein. Das große Publikumsinteresse an dem Sensationswerk lässt es sinnvoll erscheinen, auch die bereits 1812 vollendete Siebte Sinfonie vorzustellen.

Getragen von der allenthalben euphorischen Stimmung, findet vor allem das tonmalerische Stück, in dem Beethoven das englische gegen das französische Heer «aufmarschieren» lässt, bei den Zuhörern eine begeisterte Aufnahme. Der orchestrale Aufwand ist enorm: Es wirken an die siebzig Streicher mit, außerdem stark besetzte Holzbläser, vier Hörner, vier Trompeten, drei Posaunen, türkische Musik sowie zwei Ratschen, *welche das kleine Gewehrfeuer vorstellen*, und *zwey große*

Trommeln, wodurch die Kanonenschüsse bewirkt werden[60]. Vom allgemeinen Jubel profitiert auch die Siebte, deren Finale sich ohnehin als Ausdruck von Siegestaumel deuten lässt. Doch auch das suggestive Allegretto der Sinfonie, welches unter anderen auf Louis Spohr «einen tiefen nachhaltigen Eindruck» macht[61], wird da capo verlangt.

Der jugendliche Sohn des Linzer Kapellmeisters Franz Xaver Glöggl erzählt: «Sonntags bei der Aufführung war gar keine Karte mehr zu haben, und Beethoven erlaubte mir ihn in seiner Wohnung um 1/2 11-Uhr abzuholen. Er nahm seine Partituren in den Wagen. Während des Hinfahrens war mit ihm nichts zu reden, denn er war ganz im Geiste in seine Compositionen versunken, und gab mit der Hand mehrere Tempos an.»[62] Die öffentliche Aufführung leitet er mit Erfolg. Die Hofkapellmeister Antonio Salieri und Joseph Weigl fungieren als Subdirigenten für die Kanonade; bedeutende Musiker wie Louis Spohr, Giacomo Meyerbeer und Johann Nepomuk Hummel sind sich nicht zu schade, etwa an der großen Trommel zu stehen und den Kanonendonner zu produzieren.

In einer für das Wiener Intelligenzblatt bestimmten Adresse dankt Beethoven, offensichtlich in euphorischer Stimmung, den Musikern als einem *seltenen Verein vorzüglicher Tonkünstler, worin ein jeder einzig durch den Gedanken begeistert, mit seiner Kunst auch etwas zum Nutzen des Vaterlandes beitragen zu können, ohne alle Rangordnung auch auf untergeordneten Plätzen, zur vortrefflichen Ausführung des Ganzen mitwirkte*[63].

Der Komponist unternimmt das Wagnis, eine Akademie zu seinem eigenen Vorteil zu geben. Sie findet am 27. Februar 1814 im großen Wiener Redoutensaal statt und stellt außer den beiden Erfolgswerken und dem Terzett «Tremate, empi, tremate» op. 116 auch die kurz nach der Siebten entstandene Achte Sinfonie vor.

Beethoven ist nun auf dem Gipfel seines äußeren Ruhms und so populär, dass in diesem Jahr auch *Fidelio*, zunächst aus reiner Verlegenheit aus der Versenkung geholt, in einer neuen textlich-dramatischen Gestalt zu einem großen Erfolg wird. In der Premiere wird der Komponist schon nach dem ersten Akt «stürmisch vorgerufen und enthusiastisch begrüßt»[64]. Weitere Vorstellungen folgen in beachtlicher Zahl. Den Wienern macht es offensichtlich Freude, das Hohe Lied auf die Freiheit, welches die Oper singt, als Siegeshymne im Kampf gegen Napoleon aufzufassen und begeistert einzustimmen. Acht Jahre nach der missglückten Uraufführung der Oper feiert der Rezensent der Wiener «Theaterzeitung» den Komponisten emphatisch als «seltene Größe unserer tonangebenden Republik im Gebiethe der Kunst»; seine *Fidelio*-Musik rühmt er als «tiefgedachtes, reinempfundenes Gebilde der schöpferischsten Phantasie, der lautersten Originalität, des göttlichsten Aufschwung des Irdischen in das unbegreiflich Himmlische».[65]

Weitere Vokalwerke, die im Vorfeld oder im Verlauf des Wiener Kongresses entstehen und direkten Bezug auf die aktuellen politischen Ereignisse nehmen, mehren zwar Beethovens Ruhm, nicht aber sein Ansehen als Komponist – etwa *Der glorreiche Augenblick* op. 136, *Germania* WoO 94 und *Es ist vollbracht* WoO 97. Dass der Schöpfer dieser Gelegenheitskompositionen seiner Rolle als nationaler Komponist gerecht wird, sagt wenig über seine Schaffenskraft aus. Wie ein letzter Nachhall auf die vorausgegangene vaterländische Zeit wirkt ein Konzert, das am 25. Dezember 1815 im großen Redoutensaal zugunsten des Bürgerspitalfonds zu hören ist: Es erklingen die Vertonung zweier Goethe-Gedichte *Meeresstille und glückliche Fahrt* op. 112 und die *Ouverture* (zur Namensfeier des österreichischen Kaisers) op. 115.

Beethovens Aufstieg als freischaffender Komponist wäre nicht möglich gewesen ohne ein sich ausbreitendes Verlagswesen und den wachsenden Musikalienmarkt. Der Komponist veröffentlicht zunächst vor allem in den Wiener Verlagen Artaria sowie Kunst- und Industriekontor. Doch auch andere Verleger werden vorstellig, denn sie erwarten, dass jede seiner neuen Schöpfungen öffentliche Beachtung findet. Um einen Beethoven im Programm zu haben, zahlen die Verlage gute, gelegentlich außergewöhnlich hohe Honorare, gehen freilich nicht auf jede Forderung des um Geschäftserfolg bemühten Komponisten ein. Die angesehene Leipziger Firma Breitkopf & Härtel weigert sich zum Beispiel, eine Reihe von Werken im teuren Paket zu kaufen.

Dass es im Laufe der Zeit immer wieder zu Misshelligkeiten und gegenseitigen Verdächtigungen kommt, muss kaum verwundern. Exemplarisch ist ein Rechtsstreit um das Streichquintett op. 29: Wider den Augenschein verweigert der Komponist hartnäckig das Eingeständnis, das Werk mehrfach vergeben zu haben, und desavouiert damit indirekt seinen eigenen, höchst löblichen Kampf um besseren urheberrechtlichen Schutz. Heute ist es kaum mehr möglich, die Schachzüge Beethovens und seines zeitweilig als Bevollmächtigten auftretenden Bruders Kaspar Karl im einzelnen nachzuvollziehen; fest steht, dass der Komponist kein Unschuldslamm gewesen ist.

Freilich erklärt Beethoven dem befreundeten Verleger Franz Anton Hoffmeister im Jahre 1801 plausibel, er sei zur Rolle eines *halben Handelsmannes* gezwungen, da ein Staatsverlag, wie es ihn in Paris zurzeit der Französischen Revolution im Ansatz gegeben hatte, nicht existiere.[66] Um die gleiche Zeit wünscht er sich im Gespräch mit «einem anwesenden Herrn», vielleicht Georg August Griesinger, Haydn-Freund und Wiener Agent von Breitkopf & Härtel, einen Exklusivvertrag, der ihn von allen Sorgen frei macht: *Ich wollte […] im Componieren nicht faul sein. Ich glaube, Goethe macht es so mit Cotta, und wenn ich nicht irre, hatte Händels Londoner Verleger eine ähnliche Übereinkunft mit ihm.*[67]

Als derselbe Herr einwirft, er sei weder Goethe noch Händel, reagiert Beethoven verstimmt und bescheidet den um Vermittlung bemühten Fürsten Lobkowitz mit den Worten: *Mit Menschen, die keinen Glauben und kein Vertrauen zu mir haben, weil ich dem allgemeinen Rufe noch unbekannt bin, kann ich keinen Umgang haben.*[68] Die – nur sinngemäß überlieferte – Äußerung mag hochfahrend klingen, zeugt jedoch von Beethovens prophetischem Blick für die Durchsetzbarkeit seiner Wünsche. Denn schon 1809 kommt er in den Genuss einer formal privaten, in ihrer Intention aber schon fast nationalen Stiftung: Ein aus Erzherzog Rudolph, Fürst Lobkowitz und Fürst Ferdinand

Die Gönner und Mäzene: Fürst Karl Lichnowsky. Anonymes Gemälde

Fürst Franz Joseph Max von Lobkowitz. Ölkopie nach einem Gemälde von A. F. Oelenhainz

Kinsky bestehendes Triumvirat von Verehrern beschließt, dem Künstler eine jährliche Pension auszuwerfen.

Beethoven selbst scheint das Papier vorformuliert zu haben, welches Bedingungen des «Vertrags» festhält und mit den Worten beginnt: «Es muss das Bestreben und das Ziel jedes wahren Künstlers sein, sich eine Lage zu erwirken, in welcher er sich ganz mit der Ausarbeitung größerer Werke beschäftigen kann, und nicht durch andere Verrichtungen oder ökonomische Rücksichten davon abgehalten wird. Ein Tondichter kann daher keinen lebhafteren Wunsch haben, als sich ungestört der Erfindung größerer Werke überlassen und selbe sodann dem Publikum vortragen zu können. Hierbei muss er doch auch seine älteren Tage im Gesicht haben, und sich für selbe ein hinreichendes Auskommen zu verschaffen suchen.»[69]

Die Initiative hat einen aktuellen Hintergrund: Jérôme, von seinem Bruder Napoleon Bonaparte als König von Westfalen eingesetzt, lockt mit dem Angebot, Beethoven als Leiter seiner Kammerkonzerte nach Kassel zu holen. Indessen ist zu

Fürst Ferdinand Bonaventura Kinsky. Anonymes Gemälde

Erzherzog Rudolph von Österreich. Anonymes Gemälde

bezweifeln, dass der Komponist dieses Angebot ernsthaft geprüft und für tauglich befunden hat. Vielleicht wollte er lediglich herausfinden, was er «den Wienern» wert sei. Diese reagieren in der Tat mit Bleibeverhandlungen, die einer Huldigung gleichkommen. 4000 Gulden Wiener Währung erhält Beethoven jährlich; sogar nachdem die Stifter teilweise selbst Vermögenseinbußen erlitten haben, sind die von Erzherzog Rudolph sowie den Familien Lobkowitz und Kinsky aufgebrachten Summen immer noch beträchtlich. Sie werden Beethoven bis zu seinem Lebensende von den Bevollmächtigten der drei Stifter halbjährlich überbracht.

Auch in anderer Hinsicht spielt der Wiener Adel eine entscheidende Mäzenatenrolle. Die Subskriptionslisten mancher Konzerte lesen sich wie Verzeichnisse des in Wien anwesenden Hochadels.[70] Fast alle Kompositionen Beethovens sind Adeligen gewidmet, die viel dafür zahlen, das Werk für einige Monate für sich allein zu besitzen und vom Komponisten mitunter trotz beachtlicher Vorleistungen hingehalten werden.

Fürst Lobkowitz, auf den Künstler Beethoven geradezu fixiert, stößt schon fast an die Grenzen der eigenen Finanzkraft, wenn er Beethoven 700 Gulden und 80 Golddukaten für die Widmung und zeitweilige Überlassung der *Eroica* zahlt und für eine angemessene Aufführung sorgt. Fürst Lichnowsky tritt anlässlich einer Reise nach Leipzig höchstpersönlich als Beethovens Unterhändler bei Breitkopf & Härtel auf.

In welchem Maße Beethoven in diesen Jahren auch auf das bürgerliche Publikum Wiens hätte bauen können, ist schwer zu entscheiden, da sich dieses weitgehend auf die Mäzenatenrolle des Adels verlässt. Zweifellos ist das Wiener Konzertwesen damals noch nicht sehr entwickelt. Deshalb komponiert Beethoven von vornherein weniger für die Wiener als für Kenner und Liebhaber in ganz Europa. Bereits im Jahr 1803 berichtet die Pariser «Correspondance des amateurs musiciens» von Klaviervirtuosen, die nur Haydn, Mozart und Beethoven spielen. Die Erste Sinfonie erklingt in rascher Folge in Leipzig, Berlin, Breslau, Frankfurt a. M., Dresden, Braunschweig, München und Paris.[71] Selbst die als extrem schwierig geltende *Eroica* erlebt innerhalb des ersten Jahrzehnts ihrer öffentlichen Präsentation Aufführungen in Wien, Mannheim, Leipzig, Prag, Berlin, Paris und London.[72] Um das Jahr 1815 kann man die Sinfonien, Ouvertüren und Konzerte Beethovens in jeder größeren europäischen Stadt, einige von ihnen auch in kleineren Orten hören – natürlich nicht im Sinne musikalischen Alltags, sondern als jeweils herausgehobenes Ereignis.

Der «private» Beethoven

Obwohl seit etwa 1800 die Nachrichten über Beethovens Leben und Wirken so reichlich wie über keinen anderen Komponisten zuvor fließen, fällt es schwer, den roten Faden dieses Lebens zu finden: Es steht ganz im Dienst des Werks und wird von dessen Mythos geradezu verschlungen. Symptomatisch ist die erwähnte Äußerung aus dem Jahr 1823, die Scheu vor ehelicher Bindung in einem speziellen Kontext erklären soll, doch gleichwohl wie ein allgemeiner Rückblick auf vergangene Jahre wirkt: *Wenn ich hätte meine Lebenskraft mit dem Leben so*

Beethoven um das Jahr 1808. Bleistiftzeichnung von Ludwig Schnorr von Carolsfeld

hingeben wollen, was wäre für das edle, bessere geblieben?[73] Die Lebenskraft dient als Antrieb für das Werk, nicht für die Gründung einer im traditionellen Sinne akzeptablen Existenz.

Wo nicht Fortschritt in der Kunst auf dem Spiel steht, neigt Beethoven dazu, diese Existenz nicht zu gestalten, sondern zu erleiden – als «jemand, der nach innen schaut, das äußere Leben und dessen Probleme nur betrachtet, nicht betreibt»[74]. Während das Werk unaufhörlich wächst, scheint das Leben auf der Stelle zu treten und in denselben Miseren zu verharren.

Exemplarisch verdeutlicht dies eine Betrachtung der Wohnorte und -räume Beethovens. Auf der einen Seite hat er vom vierten Lebensjahrzehnt an den Umkreis Wiens nur selten und bloß für kurze Zeit verlassen. Um das Jahr 1803/04 spielt er zwar ernsthaft mit dem Gedanken, in das Paris Napoleons überzusiedeln, 1809 winkt eine Stellung am Kasseler Hof von König Jérôme, und 1825 lockt zeitweilig England. Doch solche Horizonterweiterungen beflügeln nur die Phantasie: Wien ist und bleibt unverrückbarer Lebensmittelpunkt. Innerhalb dieser Stadt vollführt Beethoven dafür umso rastlosere Bewegungen: Seine Wiener Wohnungen muss er an die fünfundzwanzigmal gewechselt haben[75], augenscheinlich ergreift er vor jeder Unbehaglichkeit oder Misshelligkeit alsbald die Flucht. Dies und anderes lässt sich in einer knappen Lebensbeschreibung schwerlich chronologisch nachvollziehen: Man beobachtet stereotype Verhaltensweisen, aber keine Entwicklung.

Auch der erhaltene Briefwechsel hilft nur bedingt bei dem Bemühen, äußere und innere Stationen des Lebens nachzuzeichnen. Mozart und Wagner gehen in ihren Briefen mit dem Fluss des Lebens: Gewiss ist dort manches stilisiert und bewusst auf den jeweiligen Adressaten zugeschnitten; immerhin erhält man als Leser einen konkreten Einblick in wechselnde Lebenssituationen und -gefühle: Wie unterschiedlich Wagner sein Leben beispielsweise als Berufsanfänger in Königsberg, als Hungerleider in Paris, als Revolutionär in Dresden, als Flüchtling in der Schweiz, als etablierter Künstler in Bayreuth erlebt, wie verschiedenartig er sein Verhältnis zur Braut, zur Ehefrau, zur Gemahlin in zweiter Ehe, zur Maitresse, zur Verehrerin sieht, ist aus seinen Briefen recht genau ablesbar.

Anders bei Beethoven. Zum einen sind persönlich gehaltene Briefe keineswegs gleichmäßig aus allen Lebensphasen überliefert; zum anderen geben sie weniger über wechselnde Lebenssituationen als über dieselben seelischen Grundbefindlichkeiten Auskunft. Das muss nicht besagen, dass Beethoven nur wenige archetypische Stimmungen gekannt hätte; es deutet aber darauf hin, dass er nur sie wirklich ernst nimmt – nicht als aktuelles, unmittelbar erlebtes Gefühl, sondern als sein tendenziell unveränderliches Schicksal. Die Auseinandersetzung mit diesem Schicksal hat eine Reihe sehr persönlicher Äußerungen hervorgebracht; und obwohl viele Briefe und Aufzeichnungen verloren gegangen sein dürften, zeichnen sich die Grundzüge der eigenen Lebenseinschätzung deutlich ab.

Nach heutiger Quellenkenntnis ist Karl Amenda einer der ersten, dem Beethoven sein persönliches «Schicksal» schriftlich anvertraut. Anfang 1801 kündigt er dem Freund *einen langen Brief von mir über meine jetzigen Verhältnisse* an und bekennt vorweg: *Ja gewiß unter den zwei Menschen, die meine ganze Liebe besaßen und wovon der eine noch lebt, bist du der Dritte – nie kann das Andenken an dich mir verlöschen.*[76]

Am 1. Juli 1801 geht tatsächlich ein ausführlicher Brief nach Kurland: *Dein B. lebt sehr unglücklich, […] wisse, daß ich mir der edelste Theil mein Gehör sehr abgenommen hat, schon damals als du noch bey mir warst, fühlte ich davon spuren, und ich verschwieg's, nun ist es immer ärger geworden.* Wenn er, so fährt Beethoven fort, sein *vollkommnes Gehör hätte,* würde er Amenda besuchen. Jedoch: *[…] meine schönsten Jahre werden dahin fliegen, ohne alles das zu wirken, was mir mein Talent und meine Kraft geheißen hätten – traurige resignation zu der ich meine Zuflucht nehmen muß, ich habe mir Freylich vorgenommen mich über alles das hinaus zu setzen, aber wie wird es möglich seyn? Ja Amenda wenn nach einem halben Jahre mein Üebel unheilbar wird, dann mache ich Anspruch auf dich, dann must du alles Verlassen und zu mir kommen, ich reise Dann (bey meinem spiel und Komposition macht mir mein Üebel noch am wenigsten, nur am meisten im Umgang) und du must mein Begleiter seyn.*[77]

Zwei Tage zuvor hatte Beethoven den anderen noch lebenden Freund, Franz Gerhard Wegeler, an seiner Verzweiflung über die anhaltende Schwäche des Gehörs teilhaben lassen: *[…] meine ohren, die sausen und Brausen tag und Nacht fort; ich kann sagen, ich bringe mein Leben elend zu, seit 2 Jahren fast meide ich alle gesellschaften, weils mir nun nicht möglich ist, den Leuten zu sagen, ich bin Taub, hätte ich irgend ein anderes Fach, so giengs noch eher, aber in meinem Fach ist das ein schrecklicher Zustand, dabey meine Feinde, deren Anzahl nicht geringe ist, was würden diese hiezu sagen.* Es folgt die Darstellung seiner Philosophie: *[…] ich habe schon oft den schöpfer und mein daseyn verflucht, Plutarch hat mich*

zu der Resignation geführt, ich will, wenn's anders möglich ist, meinem schicksaal trozen, obschon es Augenblicke meines Lebens geben wird, wo ich das unglücklichste Geschöpf gottes seyn werde.[78]

Ähnlich klingt ein weiterer Brief an Wegeler vom 16. November 1801: *Das sausen und brausen ist etwas schwächer als sonst, besonders am Linken Ohre, mit welchem eigentlich meine Gehörkrankheit angefangen hat, aber mein Gehör ist gewiß um nichts noch gebessert.* Dass Beethoven wieder *mehr unter Menschen* geht, hat, wie er in demselben Brief schreibt, *ein liebes zauberisches Mädchen hervorgebracht, die mich liebt, und die ich liebe, es sind seit 2 Jahren wieder einige seelige Augenblicke, und es ist das erste Mal, dass ich fühle, daß – heirathen glücklich machen könnte, leider ist sie nicht von meinem stande – und jetzt – könnte ich freylich nicht heirathen – ich muss mich nur noch wacker herumtummeln, wäre mein Gehör nicht, ich wäre nun schon lang die halbe Welt durchgereißt, und das muß ich.* Er gibt nicht auf: *ich will dem schicksaal in den rachen greifen, ganz niederbeugen soll es mich gewiß nicht.*[79]

Mit diesen drei Briefen hat sich Beethoven den Weg zum so genannten Heiligenstädter Testament vom 6. Oktober 1802 ge-

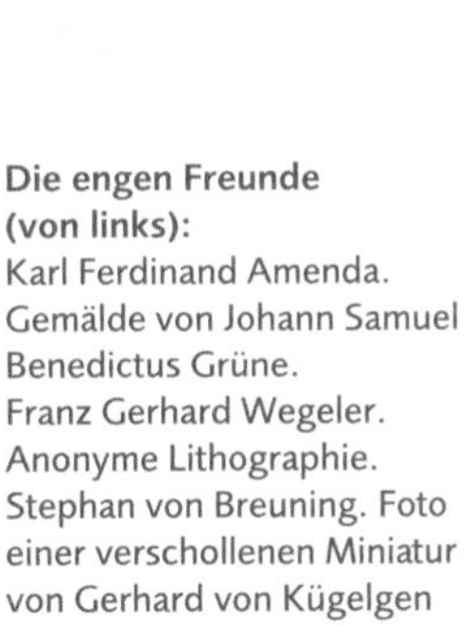

Die engen Freunde (von links):
Karl Ferdinand Amenda. Gemälde von Johann Samuel Benedictus Grüne.
Franz Gerhard Wegeler. Anonyme Lithographie.
Stephan von Breuning. Foto einer verschollenen Miniatur von Gerhard von Kügelgen

bahnt, das mit den Worten beginnt: *Für meine Brüder Carl und … Beethoven. O ihr Menschen die ihr mich für feindselig störisch oder Misantropisch haltet oder erkläret, wie unrecht thut ihr mir, ihr wisst nicht die geheime urßache von dem; was euch so scheinet, mein Herz und mein Sinn waren von Kindheit an für das Zarte Gefühl des wohlwollens, selbst große Handlungen Zu verrichten dazu war ich im̄er aufgelegt, aber bedenket nur daß seit 6 Jahren ein heilloser Zustand mich befallen, durch unvernünftige ärzte verschlim̄ert, von jahr zu jahr in der Hofnung gebessert zu werden, betrogen, endlich zu dem uberblick eines* dauernden Übels *(dessen Heilung vieleicht jahre dauern oder gar unmöglich ist) gezwungen, mit einem feuerigen Lebhaften Temperamente gebohren selbst empfänglich für die Zerstreuungen der Gesellschaft, muste ich früh mich absondern, einsam mein Leben zubringen, wollte ich auch Zuweilen mich einmal über alles das hinaussetzen, o wie hart wurde ich dur[ch] die verdoppelte trauerige Erfahrung meines schlechten Gehör's dann Zurückgestoßen.*

Beethoven beschreibt die *Demüthigung*, die er erlitten hat, *wenn jemand neben mir stund und von weitem eine flöte hörte und* ich nichts *hörte*, und fährt fort: *solche Ereignüsse brachten mich nahe an Verzweiflung, es fehlte wenig, und ich endigte selbst mein Le-*

ben – nur sie die Kunst, sie hielt mich zuruck, ach es dünkte mir unmöglich, die welt eher zu verlassen, bis ich das alles hervorgebracht, wozu ich mich aufgelegt fühlte, und so fristete ich dieses elende Leben – wahrhaft elend; einen so reizbaren Körper, daß eine etwas schnelle Verändrung mich aus dem Besten Zustande in den schlechtesten versezen kann – Geduld – so heist es, Sie muss ich nun zur führerin wählen, ich habe es – dauernd hoffe ich, soll mein Entschluß sejn, auszuharren, bis es den unerbittlichen parzen gefällt, den Faden zu brechen, vieleicht geht's besser, vieleicht nicht, ich bin gefaßt – schon in meinem 28 jahre gezwungen Philoßoph zu werden, es ist nicht leicht, für den Künstler schwerer als für irgend jemand – gottheit du siehst herab auf mein inneres; du kennst es, du weißt, dass menschenliebe und neigung zum wohlthun drin hausen, – o Menschen, wenn ihr einst dieses leset, so denkt, daß ihr mir unrecht gethan.

Wie in einem wirklichen Testament wendet sich Beethoven im folgenden an seine Brüder Kaspar Karl und … (der Name des zweiten Bruders Nikolaus Johann bleibt, wie in der Überschrift, offen) als seine Erben, an den Fürsten Lichnowsky und seinen Arzt Julius Adolph Schmidt. Er bittet die Brüder, ihren Kindern Tugend zu empfehlen, die allein glücklich machen könne: *ich spreche aus Erfahrung, sie war es die mich selbst im Elende gehoben, ihr danke ich nebst meiner Kunst, daß ich durch keinen selbstmord mein Leben endigte.* Dem Tod will Beethoven, wie er anschließend bemerkt, *mit freuden* und *muthig* entgegeneilen: *[…] kom̄t er früher als ich Gelegenheit gehabt habe, noch alle meine Kunst-Fähigkeiten zu entfalten, so wird er mir troz meinem Harten Schicksal doch noch zu frühe kom̄en, und ich würde ihn wohl später wünschen – doch auch dann bin ich zufrieden, befrejt er mich nicht von einem endlosen Leidenden Zustande?*

In einer Nachschrift vom 10. Oktober nimmt der Komponist Abschied auch von Heiligenstadt – einem Dorf in der Nähe von Wien, in dem er sich der Natur besonders nahe gefühlt hat. Doch auch die *Schönen Som̄ertäge*, derenhalber er auf Anraten seines Arztes dort hingereist ist, sind mit den *Blättern des Herbstes* dahingegangen – und mit ihnen der *Hohe Muth*, welcher ihn zuvor immer wieder beseelt hat. Am Ende steht der Seufzer: *o Vorsehung – laß einmal einen reinen Tag der Freude*

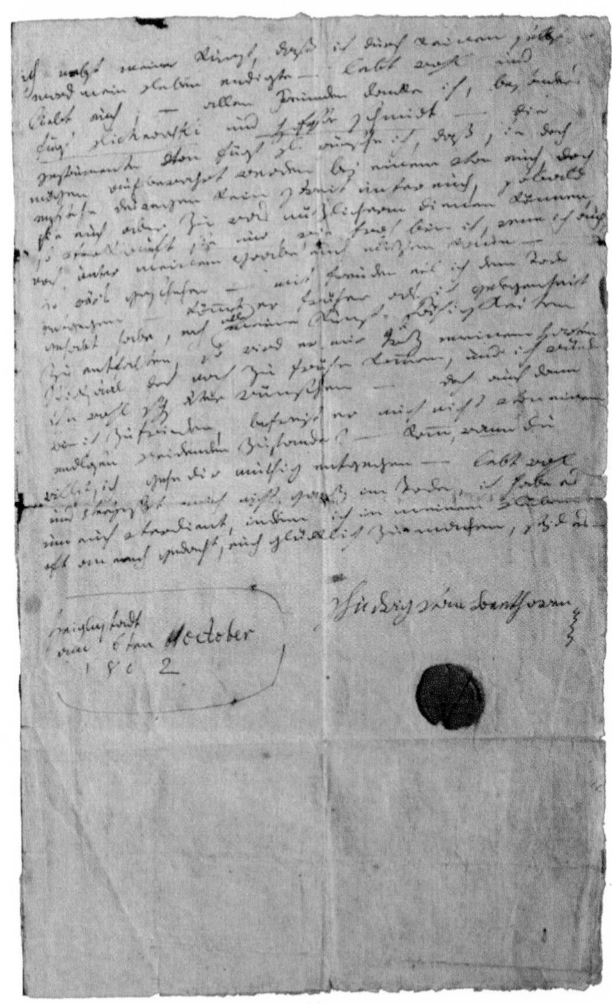

Heiglnstadt am 6ten October 1802

Ludwig van Beethowen

Die letzte Seite des «Heiligenstädter Testaments»

mir erscheinen – so lange schon ist der wahren Freude inniger Widerhall mir fremd – o wann – o wann o Gottheit – kann ich im Tempel der Natur und der Menschen ihn wider fühlen, – Nie? – – nein – o es wäre zu hart.[80]

Dass Beethoven um die gleiche Zeit den Verlegern Breitkopf & Härtel einen energischen Brief schreibt, in dem er unter anderem die *wircklich ganz neue Manier* der Klaviervariationen op. 34 und 35 preist und auch ansonsten seine Bedeutung als Komponist ins rechte Licht zu rücken versucht[81], gibt zu der Vermutung Anlass, dass die Niederschrift nicht als spontane Reaktion auf eine vorübergehende Gemütsverstimmung zu verstehen ist, vielmehr im wahrsten Sinne des Wortes ein Testament darstellt: Der Komponist, welcher hier ein Resümee seines Lebens zieht, produziert – den unzweifelhaft vorhandenen aktuellen Leidensdruck sublimierend – ein geradezu an Goethes «Werther» geschultes, fast literarisch zu nennendes Dokument. Die Worte sind bei aller Emphase sorgfältig gewählt; lediglich die Nachschrift wirkt unmittelbar.[82]

Richtet sich dieses Testament an einen bestimmten Personenkreis – etwa an die Brüder, deren jüngerer, Nikolaus Johann, ja sehr befremdet gewesen sein müsste, seinen Namen – aus welchen Gründen auch immer – beharrlich ausgespart zu sehen? Klingt es nicht wie eine allgemeine Belehrung, wenn Beethoven diesen ja noch unverheirateten Brüdern die tugendhafte Erziehung ihrer zukünftigen Kinder anempfiehlt? In der Tat hat Beethoven wohl weniger die Brüder und Freunde als seine mit den Worten *O ihr Menschen* angeredete Mitwelt vor Augen: Diese verkennt ihn grundlegend, indem sie ihn als *feindselig, misanthropisch* und *störrisch* einschätzt, wo er doch von zartem Gefühl, von Wohlwollen, lebhaftem Temperament, geselliger Natur und – vor allem – größter Menschenliebe und höchster sittlicher Gesinnung ist.

Unterschwellig ist das «Heiligenstädter Testament» ein einziger Schrei nach Liebe, Geborgenheit, Wärme und unangestrengter Geselligkeit im Umgang mit den Menschen. Der entsprechende Mangel wird jedoch nicht gefühlshaft erlebt, sondern alsbald in moralischen Kategorien diskutiert: Die Menschen haben keinen Einblick in das schwere Schicksal, das ihn verursacht hat, können deshalb auch nicht helfen und verstehen. So muss der Komponist über die Erfahrung des Mangels sich erheben, zum Philosophen, Stoiker und damit zum moralischen Sieger werden. Um nicht immer neuen Enttäuschungen ausgesetzt zu sein, zieht er einen Schlussstrich: Der leibliche, irdische Beethoven wird zwar nicht förmlich – im Sinne einer willentlichen Preisgabe der irdischen Existenz – ins Grab gesenkt, jedoch in Gestalt eines feierlichen Verzichts auf alle Ansprüche an das Leben. Dieses soll fortan nur noch den einen Sinn haben, Raum zur Entwicklung weiterer *Kunst-Fähigkeiten* zu schaffen. In den Augen Maynard Solomons handelt es sich um einen «Wachtraum von Heroismus, Tod und Wiedergeburt»[83].

Das Gehörleiden wird in den Briefen an Amenda und Wegeler sowie im «Heiligenstädter Testament» mit einer Dramatik thematisiert, die in zeitgenössischen Berichten nur verhalten anklingt. Carl Czerny[84] und Ignaz von Seyfried[85] erinnern sich, an Beethoven in den ersten Jahren nach 1800 noch keine Minderung des Gehörs festgestellt zu haben. Ferdinand Ries berichtet allerdings aus der Zeit des «Heiligenstädter Testaments» und im Einklang mit dessen Wortlaut, sein Lehrer sei auf einer Wanderung «außerordentlich still und finster» geworden, nachdem er, auf den Klang einer Hirtenflöte aufmerksam gemacht, nichts habe wahrnehmen können. Insgesamt äußert er sich jedoch sehr differenziert: «Beethoven litt […] schon im Jahr 1802 verschiedenemal am Gehör, allein das Übel verlor sich wieder. Die beginnende Harthörigkeit war für ihn eine so empfindliche Sache, daß man sehr behutsam sein mußte, ihn durch lauteres Sprechen diesen Mangel nicht fühlen zu lassen. Hatte er etwas nicht verstanden, so schob er es gewöhnlich auf eine Zerstreutheit, die ihm allerdings in höherem Grade eigen war.»[86]

Zunächst ist Beethoven mit zahlreichen Therapien um Besserung seines Leidens bemüht. In dem zitierten Brief an Wegeler vom 16. November 1801 heißt es: *[Der Arzt] Wering läßt mich nun schon seit einigen Monathen immer Fisikaturen auf beyde Armen legen, welche aus einer gewissen Rinde, wie du wissen wirst, bestehen, das ist nun eine höchst unangenehme Kur, indem ich immer ein paar Täge des Freyen Gebrauchs meiner Armen beraubt bin, ohne der schmerzen zu gedenken.* Er selbst versucht zeitweilig Gewaltkuren, zum Beispiel kalte Wassergüsse. Seit 1816 verwendet er ein Hörrohr, zwei Jahre später werden die Konversationshefte eingeführt.

Falls man dem Bild der überlieferten Quellen trauen darf, werden die Klagen in den Jahren nach dem «Heiligenstädter Testament» seltener, ohne ganz zu verstummen. Ein an Wegeler gerichteter Brief vom 2. Mai 1810 enthält den Passus: *Ich wäre glüklich, vieleicht einer der Glüklichsten Menschen, wenn nicht der Dämon in meinen Ohren seinen Aufenthalt aufgeschlagen – hätte ich nicht irgendwo gelesen, der Mensch dörfe nicht freywillig scheiden von seinem Leben, so lange er noch eine gute That verrichten kann, längst wär ich nicht mehr – und zwar durch mich selbst – o so schön ist das Leben, aber bey mir ist es für immer vergiftet.*[87]

Im Umgang mit Musik ist Beethoven durch seine Gehörschwäche weniger behindert als in Alltagssituationen: Ende 1813 ist er immerhin noch in der Lage, die spektakuläre Erstaufführung des Tongemäldes *Wellingtons Sieg oder die Schlacht bei Vittoria* zu leiten; einige Monate später tritt er anlässlich der Erstaufführung des Erzherzogtrios op. 97 letztmalig als Pianist auf. Am ersten Weihnachtstag des Jahres 1816 dirigiert er innerhalb eines Wohltätigkeitskonzerts im St. Marxer Bürgerspital eine Aufführung seiner Siebten Sinfonie. Wahrscheinlich haben die Zuhörer dem verehrten Meister in puncto Präzision einiges nachgesehen; nichts spricht jedoch für eine bloß formelle Mitwirkung wie später im Fall der Neunten Sinfonie. Laut Czerny zeigt sich Beethovens Taubheit in der Tat erst um das Jahr 1817 «so stark, daß er auch die Musik nicht mehr vernehmen» kann.[88]

Will man Beethovens Auseinandersetzung mit seinem physischen Leiden über die Jahre hinweg verfolgen, so muss man auf eine Bemerkung zurückgehen, die der junge Musiker im Dezember 1793 in sein Tagebuch einträgt: *Muth. auch bey allen schwächen des Körpers, soll doch mein Geist Herrschen. 25 Jahr sie sind da, dieses Jahr muß den völligen Mann entscheiden. – nichts muss übrig bleiben.*[89] Ergänzte man den letzten Satz um die Worte «als die Werke des Geistes», so wird deutlich, was

Beethoven unter Mannwerdung versteht: nicht das gemeinsame Wachsen von Leib, Seele und Geist, sondern die vollständige Konzentration auf diejenigen Kräfte, die der Sendung dienlich sind.

Der in Wahrheit Dreiundzwanzigjährige scheint es an Radikalität mit der Kunstfigur Parsifal aufzunehmen, dessen Sendung unter der Devise steht: «Stark ist der Zauber des Begehrenden, doch stärker der des Entsagenden.»[90] Allerdings ist auch Beethoven vom «Zauber» des Begehrens nicht unbeeindruckt: In den genannten, wenige Jahre später geschriebenen Briefen an Amenda und Wegeler drückt er den Wunsch aus, im Sinne seines feurigen und lebhaften Temperaments zu leben, an den Zerstreuungen der Gesellschaft Anteil zu haben, die Welt zu durchreisen, sich an ein *zauberisches Mädchen* zu binden und durch Heirat glücklich zu werden.

Doch inwieweit handelt es sich dabei um unzweideutig positiv besetzte Wünsche, da sie offenbar bereits vor dem Horizont ihrer Unerfüllbarkeit ausgesprochen werden? Was, so ließe sich weiter fragen, steht ihrer Befriedigung im Wege? War in der Tagebucheintragung von 1793 angeklungen, dass der eigene Geist Verzicht fordere, so ist es nunmehr die höhere Macht des Schicksals, welches freilich einen sehr persönlichen Namen hat: Taubheit. Nicht länger aus freiem Willensentscheid, sondern aufgrund eines schleichenden Leidens muss das private Lebensglück nunmehr zurückstehen.

Ist Beethoven in seinen ersten Wiener Jahren so erfolgreich, beliebt oder gar geliebt, dass er befürchtet, aus Liebe zum Leben seiner Sendung untreu zu werden, oder misstraut er seinem Lebensglück? Jedenfalls ist es unübersehbar, dass er in eine bestimmte Leerstelle seiner inneren Biographie nunmehr das Wort «Schicksal» einträgt und es weitgehend mit «Taubheit» identifiziert. Es ist müßig, darüber zu spekulieren, ob er diese Taubheit in einem bestimmten Winkel seines Unbewussten erwartet, ja geradezu herbeigerufen hat. Sicher ist, dass sie ihm Gelegenheit gibt, die Welt abzufertigen.

Dies geschieht zunächst im Sinne eines Kampfes: Es gilt, *dem Schicksal in den Rachen [zu] greifen.* Doch schon bald darauf, namentlich im «Heiligenstädter Testament», gewinnt höhere, philosophisch begründete Resignation die Oberhand: Es geht nun nicht mehr um das reale irdische Leben, sondern allein um die Ansprüche von Sittlichkeit und Kunst. Charakteristisch sind die Sätze, die Bettine von Arnim Beethoven unter dem 11. August 1810 in den Mund legt – in einem Brief, den sie vermutlich fingiert, jedoch unter dem Eindruck ausführlicher Gespräche mit dem Komponisten formuliert hat. Zwar klagt Beethoven dort: *Meine Ohren sind leider, leider eine Scheidewand, durch die ich keine freundliche Communikation mit Menschen leicht haben kann.* Doch im gleichen Atemzug beklagt er *diese absurde [Welt], der man mit dem besten Willen die Ohren nicht aufthun kann.*[91] Kommunikation mit der Welt ist nicht nur nicht möglich, sondern auch nicht nötig, da von vornherein enttäuschend.

Die wahre Kommunikation findet nicht nur in der Kunst, sondern auch d u r c h sie statt. Vermutlich aus dem Jahr 1809 stammt eine Episode, die ein Licht auf Beethovens Lebensaufgabe, «in Tönen zu reden», wirft. Damals stirbt ein Kind der Baronin Dorothea Ertmann, einer der ersten Pianistinnen Wiens und von Beethoven auch menschlich hoch geschätzt. Nach dem Zeugnis Anton Schindlers erriet sie «selbst die verborgensten Intentionen in Beethovens Werken […] mit solcher Sicherheit, als ständen selbe geschrieben vor ihren Augen»[92]. Als die Baronin mit dem Tod ihres offenbar einzigen Sohnes einen tiefen Verlust erleidet, wartet sie zunächst vergeblich auf Beethovens Besuch. Doch dann erscheint Beethoven, um *in Tönen* zu ihr zu sprechen. Später soll sich die Baronin gegenüber einer Nichte erinnert haben: «Statt sein Beileid mit Worten auszudrücken, setzte er sich sogleich, mich stumm grüßend, an das Clavier und phantasierte während langer Zeit. Wer könnte diese Musik mit Worten beschreiben! Man glaubte Engelschöre zu hören, welche den Einzug meines Kindes in die höhren Sphären feierten. Als Beethoven geendet hatte, drückte er mir stumm die Hand, er selbst war zu aufgeregt, um sprechen zu können, und verschwand.»[93]

Neben dem Abnehmen des Gehörs und der damit verbundenen Einschränkung der Kommunikation hat Beethoven besonders das Ausbleiben persönlichen Liebesglücks beschäftigt. Vermutlich 1807, jedenfalls in Baden bei Wien, entfährt ihm, *als die M. vorbejfuhr und es schien als blickte sie auf mich*, der Seufzer: *Nur liebe – ja nur Sie vermag dir ein Glücklicheres leben zu geben – o Gott – laß mich sie – jene endlich finden – die mich in Tugend bestärkt – die mir erlaubt mein ist.*[94] Immer wieder gibt es Hinderungsgründe; in diesem Fall mag Beethoven sie im Familienstand der im Wagen vorbeifahrenden Dame gesehen haben.

Wer ist diese «M»? Man weiß es nicht und muss es auch nicht wissen: Der Buchstabe ist eine Chiffre für den schicksalhaften Mangel an geglückten Liebesbeziehungen. Dass Beethoven der genannte Seufzer «entfahren» sei, ist ein Euphemismus: In Wahrheit hat er ihn – fast wie einen musikalischen Einfall – auf einem Billett notiert und damit angedeutet, dass entsprechende Erlebnisse und Erfahrungen nicht nur spontane Gefühle freisetzen, sondern auch dazu dienen, für ein bestimmtes Erwartungsmuster Belege zu finden, die es leichter machen, sich mit dem Mangel abzufinden. Einer vergleichbaren Struktur folgen die Briefe an die *Unsterbliche Geliebte*, die nachfolgend vollständig mitgeteilt werden, weil sie in der Beethoven-Biographik einen zentralen Platz einnehmen.

Am 28. oder 29. Juni 1812 reiste Beethoven nach Prag ab. Dort stieg er am 1. Juli im «Schwarzen Roß» ab. Am 2. Juli traf er sich mit Karl August Varnhagen von Ense und verabredetet sich mit diesem auch für den nächsten Abend. Dass er dieses Treffen versäumte, kam ihm selbst «fast unanständig» vor, doch war offenbar etwas dazwischengekommen. Am 4. Juli reiste er nach Teplitz weiter. Dort kam er am 5. Juli nachts um vier an, logierte in der «Goldenen Sonne» und begann tags darauf den Brief mit den Anfangsworten «Mein Engel». Dieser ging nach «K.», also wohl Karlsbad. – Das alles lässt sich recherchieren; was Beethoven von seiner ursprünglichen Verabredung am 3. Juli abhielt, wissen wir jedoch nicht.

am 6ten Juli Morgends. –
Mein Engel, mein alles, mein Ich. – nur einige Worte heute, und zwar mit Bleystift – (mit deinem) erst bis morgen ist meine Wohnung sicher bestim̄t, welcher Nichtswürdiger Zeitverderb in d. g. – warum

dieser tiefe Gram, wo die Nothwendigkeit spricht – Kann unsre Liebe anders bestehn als durch Aufopferungen, durch nicht alles verlangen, kannst du es ändern, daß du nicht ganz mein, ich nicht ganz dein bin – Ach Gott blick in die schöne Natur und beruhige dein Gemüth über das müßende – die Liebe fordert alles und ganz mit Recht, so ist es mir mit dir, dir mit mir – nur vergißt du so leicht, daß ich für mich und für dich leben muß, wären wir ganz vereinigt, du würdest dieses schmerzliche eben so wenig als ich empfinden – meine Reise war schrecklich, ich kam erst Morgens 4 uhr gestern hier an, da es an Pferde mangelte, wählte die Post eine andre Reiseroute, aber welch schrecklicher Weg, auf der vorlezten Station warnte man mich bey nacht zu fahren, machte mich einen Wald fürchten, aber das Reizte mich nur – und ich hatte Unrecht, der Wagen muste bey dem schrecklichen Wege brechen, grundloß, bloßer Landweg, ohne 2 solche Postillione, wie ich hatte, wäre ich liegen geblieben Unterwegs – Esterhazi hatte auf dem andern gewöhnlichen Wege hierhin dasselbe schicksal mit 8 Pferden, was ich mit vier. – jedoch hatte ich zum Theil wieder Vergnügen, wie im̄er, wenn ich was glücklich überstehe. – nun geschwind zum innern vom aüßern, wir werden unß wohl bald sehn, auch heute kann ich dir meine Bemerkungen nicht mittheilen, welche ich während dieser einigen Tage über mein Leben machte – wären unsre Herzen im̄er dicht an einander, ich machte wohl keine d. g. die Brust ist voll dir viel zu sagen – Ach – Es gibt Momente, wo ich finde daß die sprache noch gar nichts ist – erheitre dich – bleibe mein Treuer einziger schaz, mein alles, wie ich dir das übrige müßen die Götter schicken, was für unß seyn muss und seyn soll. –

dein treuer ludwig. –

Abends Montags am 6ten Juli –
Du leidest du mein theuerstes Wesen – eben jezt nehme ich wahr daß die Briefe in aller Frühe aufgegeben werden müßen. Montags – Donnerstags – die einzigen Täge wo die Post von hier nach K. geht – du leidest – Ach, wo ich bin, bist du mit mir, mit mir und dir rede ich mache daß ich mit dir leben kann, welches Leben!!!! so!!!! ohne dich – Verfolgt von der Güte der Menschen hier und da, die ich meyne – eben so wenig verdienen zu wollen, als sie zu verdienen – Demuth des Menschen gegen den Menschen – sie schmerzt mich – und wenn ich

Die Briefe an die «Unsterbliche Geliebte», vorletzte und letzte Seite

mich im Zusam̄enhang des Universums betrachte, was bin ich und was ist der – den man den Größten nennt – und doch – ist wieder hierin das Göttliche des Menschen – ich weine wenn ich denke daß du erst wahrscheinlich Sonnabends die erste Nachricht von mir erhältst – wie du mich auch liebst – stärker liebe ich dich doch – doch nie verberge dich vor mir – gute Nacht – als Badender muß ich schlafen gehn – Ach gott – so nah! so weit! ist es nicht ein wahres Him̄els-Gebaüde unsre Liebe – aber auch so fest, wie die Veste des Him̄els. –

guten Morgen am 7ten Juli –
schon im Bette drängen sich die Ideen zu dir meine Unsterbliche Geliebte, hier und da freudig, dann wieder traurig, vom Schicksaale abwartend, ob es unß erhört – leben kann ich entweder nur ganz mit dir oder gar nicht, ja ich habe beschlossen in der Ferne so lange herum zu irren, bis ich in deine Arme fliegen kann, und mich ganz heymath-

lich bey dir nennen kann, meine Seele von dir umgeben in's Reich der Geister schicken kann – ja leider muß es seyn – du wirst dich fassen umso mehr, da du meine Treue gegen dich kennst, nie eine andre kann mein Herz besizen, nie – nie – O Gott warum sich entfernen müßen, was man so liebt, und doch ist mein Leben in V. so wie jezt ein kūmerliches Leben – deine Liebe macht mich zum glücklichsten und zum unglücklichsten zugleich – in meinen Jahren jezt bedürfte ich einiger Einförmigkeit Gleichheit des Lebens – kann diese bey unserm Verhältniße bestehn? – Engel, eben erfahre ich, daß die Post alle Tage abgeht – und ich muß daher schließen, damit du den B. gleich erhältst – sey ruhig, nur durch Ruhiges beschauen unsres Daseyns können wir unsern Zweck zusam̄en zu leben erreichen – sey ruhig – liebe mich – heute – gestern – Welche Sehnsucht mit Thränen nach dir – dir – dir – mein Leben – mein alles – leb Wohl – o liebe mich fort – verken nie das treuste Herz deines Geliebten

L.

ewig dein ewig mein ewig unß[95]

Eine Adressatin ist nicht genannt, in der Datumsangabe fehlt das Jahr, der Bestimmungsort ist mit «K.» abgekürzt; eindeutig ist nur, dass der Schreiber sich in einem Badeort befindet – zunächst recht wenige Anhaltspunkte, um den Briefen einen sicheren Platz in Beethovens Lebensbeschreibung zuzuweisen. Dass sie im Jahre 1812 geschrieben und von Teplitz aus an eine Empfängerin in Karlsbad gerichtet sind, hat die Beethovenforschung – mit Hilfe zum Teil geradezu kriminalistischer Methoden – mehr als wahrscheinlich gemacht. Doch welcher *Engel* ist gemeint? Kaum ein Frauenname, der in Beethovens Biographie auftaucht, ist in diesem Zusammenhang unerwähnt geblieben. Nachdem der Schweiß der Forscher zwar reichlich geflossen, ein widerspruchsfreies Resultat jedoch nicht erzielt worden ist, sollte man daran denken, die Diskussion biographischer Details zurückzustellen und stattdessen die Aussage der Briefe nach ihrer allgemeinen Struktur zu untersuchen.

Denn selbst wenn sich deren Empfängerin zweifelsfrei ausmachen ließe, könnte sie doch nichts mehr darüber verlauten lassen, ob sie sich mit der Rolle der *Unsterblichen Geliebten* hätte identifizieren können. Sind die an sie gerichteten Briefe, welche sich in Beethovens Nachlass fanden, überhaupt abgeschickt worden? Mischen sich womöglich Dichtung und Wahrheit? Man muss auf diese Fragen keine definitive Antwort haben, um davon ausgehen zu dürfen, dass Beethovens Äußerungen nicht nur als spontan und situationsbezogen zu verstehen sind, sondern zugleich seine allgemeine Sicht von «Liebe» bieten.

Eine solche hatte im «Heiligenstädter Testament» gefehlt, dem anderen – um mit Goethe zu sprechen – «Bruchstück einer großen Konfession». Nunmehr ringt sich Beethoven auch in diesem Bereich zum Verzicht durch. Denn es ist ja unverkennbar, dass die «Ideen», die sich zur *Unsterblichen Geliebten* drängen, bei aller Leidenschaft düster sind: Zwar ist die Liebe das höchste nur denkbare Gut, ein *Himmelsgebäude*, Spenderin höchsten Glücks. Indessen schenkt sie ein Glück, das Beethoven, wenn überhaupt, nur für kurze Augenblicke beschieden ist. Die *Verhältnisse* lassen eine dauerhafte Verbindung nicht zu; die Realität fordert alsbald Distanz, Aufopferung, Verzicht.

Während solche *Resignation* hier von stürmischen Liebesbeteuerungen teilweise überdeckt wird, ist sie in einem anderen Dokument ganz präsent; gleichfalls im Jahre 1812 eröffnet Beethoven ein – nur noch in Abschriften erhaltenes – Tagebuch mit den Worten: *Ergebenheit, innigste Ergebenheit in dein Schicksal*; und er fährt fort: *Auf diese Art mit A geht alles zu Grunde.*[96]

Wiederum eine Chiffre – wobei nicht einmal dem Kürzel *A* ganz zu trauen ist, da sich der Kopist verlesen haben könnte. Wir ahnen, diesem Komponisten kommt man empirisch-biographisch nicht auf die Spur. Ob mit seinem Willen oder durch die Tücken der Überlieferung: Wir werden mit der immer gleichen Erlebnisstruktur konfrontiert. Dagegen kommt der «Alltag» mit dem üblichen Auf und Ab, Hin und Her des Liebens und Begehrens nicht an.

Gibt es diesen Alltag überhaupt, und stimmt das Bild eines zumindest im ersten Wiener Jahrzehnt die Damen unbeschwert hofierenden Beethoven? Er «sah Frauenzimmer sehr gerne, besonders schöne, jugendliche Gesichter, und gewöhnlich, wenn wir an einem etwas reizenden Mädchen vorbeigin-

Frauen in Beethovens Leben: Therese von Brunsvik. Auf antikisierende Weise stilisiertes Gemälde von Johann Baptist Lampi d. Ä.

Josephine von Brunsvik. Anonyme Miniatur

Therese Malfatti. Anonymes Pastellbild

Julietta von Guicciardi. Anonyme Miniatur (Zuweisung nicht zweifelsfrei)

Antonie Brentano. Anonyme Miniatur (Zuweisung nicht zweifelsfrei)

Bettine Brentano. Radierung von Ludwig Emil Grimm, ca. 1809

gen, drehte er sich um, sah es mit seinem Glase nochmals scharf an und lachte oder grinzte, wenn er sich von mir bemerkt fand. Er war sehr häufig verliebt, aber meistens nur auf kurze Dauer. Da ich ihn einmal mit der Eroberung einer schönen Dame neckte, gestand er, die habe ihn am stärksten und längsten gefesselt – nämlich sieben volle Monate.» So erinnert sich Ferdinand Ries[97]; und Wegeler pflichtet bei: «In Wien war Beethoven, wenigstens so lange ich da lebte, immer in Liebesverhältnissen und hatte mitunter Eroberungen gemacht, die manchem Adonis, wo nicht unmöglich, doch sehr schwer geworden wären.»[98]

Wegelers Äußerung bezieht sich freilich ausgerechnet auf die Zeit, in welcher Beethoven, wie erwähnt, von der Sängerin Magdalena Willmann wegen seiner Hässlichkeit und Exzentrik abgewiesen worden zu sein scheint. Man kann zudem daran zweifeln, dass Beethoven «Eroberungen», die nicht nach moralisch einwandfreien Grundsätzen auf eine Ehe hinzielten, ohne Wenn und Aber zugänglich gewesen ist. Jedenfalls hat er

Beethoven bei gutem und bei schlechtem Wetter: Stich nach einer Tuschzeichnung von Martin Tejček

einen Zug zur Sittenstrenge, den er nicht zuletzt seine jüngeren Brüder deutlich spüren lässt. Nikolaus Johann ermahnt er 1796 ausdrücklich: *[...] nimm dich nur in Acht vor der ganzen Zunft der schlechten Weiber.*[99] Und noch 1823 mag er dem Bruder Kaspar Karl nicht verzeihen, dass dieser im Jahre 1806 eine in seinen Augen leichtfertige Frau geheiratet hat – und das obendrein erst nach der Geburt des Sohnes Karl: *Schon meines Bruders Heyrath beweißt sowohl seine Unmoralität als seinen Unverstand.*[100]

Als im Jahre 1807 eine Annäherung an die verheiratete Pianistin Marie Bigot in deren Umkreis offenbar missdeutet wird, überschlägt sich Beethoven in zwei Briefen an das Ehepaar Bigot in Erklärungen und Entschuldigungen: *[...] ohnedem ist es einer meiner ersten Grundsäze, nie in einem andern als Freundschaftlichen Verhältniß mit der Gattin eines andern zu stehn.* Und: *[...] nie werden sie mich unedel finden, von Kindheit lernte ich die Tugend lieben – und alles was schön und gut ist.*[101]

Inwieweit Beethoven diesen Maximen in der Wirklichkeit allzeit gefolgt ist, wissen wir nicht. Einerseits hat er Frauen offensichtlich formelle Heiratsanträge gemacht, ohne sich des Erfolges nur im geringsten sicher sein zu können, andererseits gibt es Begegnungen, die nach den erhaltenen Quellen Raum für Spekulationen lassen. Letzteres könnte auf Beethovens Annäherung an Giulietta Guicciardi im Jahre 1801 zutreffen.

Ob die damals siebzehnjährige Comtesse mit dem *lieben zauberischen Mädchen* aus dem erwähnten Wegeler-Brief von 1801 identisch ist, lässt sich nicht mit Sicherheit sagen. Jedenfalls erteilt ihr Beethoven im elterlichen Hause Klavierunterricht. Der erhaltenen Familienkorrespondenz zufolge[102] hat sie nicht nur die Widmung der später so genannten Mondscheinsonate in cis-Moll op. 27,2, sondern auch Beethovens Werbungen mit einigem Interesse entgegengenommen; geheiratet hat sie indessen den als Ballettkomponist hervorgetretenen, kaum ein Jahr älteren Grafen Wenzel Robert Gallenberg.

Aquarellierte Federzeichnung von Johann Nepomuk Hoechle

Zwanzig Jahre später gibt Beethoven im Gespräch mit Anton Schindler eine Einschätzung der damaligen Affäre. In Französisch, der Sprache für diskrete Mitteilungen, schreibt er ungelenke Sätze ins Konversationsheft, die zum einen die damalige Verletztheit ahnen lassen und zum anderen deutlich machen, mit welcher Selbststilisierung er solche Kränkungen zu verarbeiten pflegt. Sinngemäß übersetzt lautet die Äußerung: *Ich wurde von ihr geliebt und mehr als je ihr Mann. Er war dennoch mehr ihr Geliebter als ich, aber durch sie erfuhr ich von seinem Unglück, und ich fand einen wohlhabenden Mann, der mir die Summe von 500 Gulden gab, um ihm zu helfen. Er war immer mein Feind, und gerade das war der Grund, dass ich alles erdenklich Gute tat* ... Beethoven erzählt weiterhin, Giulietta habe ihn später einmal weinend aufgesucht, er sie aber verachtet.[103]

Wir wissen zwar nicht, in welchem Maße sich Beethoven mit seiner aus dem Jahr 1823 stammenden Darstellung auf dem Boden der Tatsachen befunden hat, sollten jedoch seine Wirkung auf Frauen nicht allein deshalb gering einschätzen, weil ihn Einzelne als hässlich und ungepflegt im Gedächtnis bewahrt haben. In der Erinnerung Franz Grillparzers war er «sorgfältig, ja elegant gekleidet; erst später trat die Vernachlässigung ein, die bis zur Unreinheit ging»[104]. Carl Czerny berichtet Ähnliches: «In jüngeren Jahren (bis um 1810) war seine Kleidung elegant und sein Benehmen cavaliermäßig; später aber bei zunehmender Taubheit immer mehr und mehr verwahrlost.»[105] Die S. 51 abgebildete Bleistiftskizze von Ludwig Schnorr von Carolsfeld zeigt den damals etwa Achtunddreißigjährigen mit einem Hauch von Eleganz und zudem noch ziemlich jugendlich. Die bekannten Zeichnungen von Martin Tejček und Johann Nepomuk Hoechle stammen zwar erst aus späterer Zeit, vermitteln aber einen Eindruck davon, wie Beethoven in seiner frühen und mittleren Wiener Zeit «gesehen» worden sein mag – einmal modebewusst und weltzugewandt, ein anderes Mal abweisend durch den Regen stapfend.

Weit tiefere Spuren als die Werbung um Giulietta Guicciardi hat die Beziehung zu Josephine Brunsvik in Beethovens Leben hinterlassen. Freilich gilt hier im besonderen, was oftmals auf Beethovens Biographie allgemein zutrifft: Mutmaßung und sicheres Wissen sind schwer voneinander zu trennen. Hat augenscheinlich schon Beethoven selbst – willentlich oder einer Tendenz seines Unbewussten folgend – manche seiner Lebensspuren verwischt, so war in diesem speziellen Fall darüber hinaus der Familie Brunsvik daran gelegen, dass über das Verhältnis von Josephine und ihrer Schwester Therese zu Beethoven generationenlang keine Details bekannt wurden. Erst im Jahre 1957 erhielt die Öffentlichkeit durch den Beethoven-Forscher Joseph Schmidt-Görg Kunde von dreizehn Briefen Beethovens an Josephine sowie vier Briefentwürfen Josephines aus den Jahren 1804 bis 1808 und damit Aufschluss darüber, wie intensiv und drängend Beethovens Werbungen in dieser Zeit gewesen sind.

Die Brunsviks, übrigens mit den Guicciardis verwandt, besaßen Güter in Ungarn. Im Mai 1799 reist die verwitwete Mutter mit ihren Kindern für einige Wochen nach Wien, um sie in die Gesellschaft einzuführen und namentlich die Töchter vorteilhaft zu verheiraten. Therese und Josephine erhalten alsbald Klavierunterricht bei Beethoven. Dieser kommt gern, bleibt oft von 12 bis 5 Uhr und wird «nicht müde, meine Finger, die ich empor zu strecken und flach zu halten gelehrt ward, nieder zu halten und zu biegen»[106]. Bei einem Besuch in der Müller'schen Statuengalerie wird die Familie mit deren Besitzer, dem Grafen Joseph Deym von Stritetz, bekannt, der schon nach wenigen Tagen um Josephines Hand anhält. Die Zwanzigjährige hat an dem «fremden alten Mann»[107] – er zählt siebenundvierzig Jahre – kein Interesse, lässt sich jedoch von ihrer Mutter zu einer Heirat überreden. Als sich herausstellt, dass Deym in finanziellen Schwierigkeiten steckt, ist die Mutter empört; die Tochter indes gewinnt ihrer Ehe zunehmend positive Seiten ab.

Beethoven verkehrt regelmäßig und freundschaftlich im Hause Deym-Brunsvik. Von einem Hauskonzert erzählt Josephine unter dem 10. Dezember 1800: «Beethoven spielte die Sonate mit Violoncello, ich die letzte der drei Violinsonaten [op. 12,3] mit Schuppanzighs Begleitung, der wie alle andern göttlich spielte. Dann ließ uns Beethoven, als ein wahrer Engel, seine neuen, noch nicht gestochenen Quartette [op. 18] hören, die das höchste ihrer Art sind.»[108]

Nachdem Deym im Januar 1804 an einer Lungenentzündung gestorben ist, umwirbt Beethoven die schöne Witwe mit zunehmender Intensität. Die Vorstellung, einer schwachen Frau mit vier kleinen Kindern Halt zu gewähren, dürfte bei seinen Werbungen jenes moralische Fundament gebildet haben, dessen er zur Legitimation seiner Beziehungswünsche bedarf. Dass er in dieser Zeit an seiner Oper *Fidelio* arbeitet, hat geradezu Symbolwert: Dort wird das «Hohe Lied der Gattenliebe» vor dem Horizont der Opferbereitschaft gesungen!

In der Familie Brunsvik führt die Frage, ob eine Verbindung möglich und sinnvoll sei, zu Diskussionen. Am 20. Januar 1805 schreibt Therese an ihre Schwester Charlotte: «Aber sage mir, Pepi [Josephine] und Beethoven, was soll daraus werden? Sie soll auf ihrer Hut sein! Ich glaube in Bezug auf sie unterstrichst du in dem Klavierauszug die gewissen Worte: Ihr Herz muß die Kraft haben nein zu sagen, eine traurige Pflicht, wenn nicht die traurigste aller!»[109] Was nötigt Josephine zu solch trauriger Pflicht? Ist es der Standesunterschied, ist es die Erwartung, dass in einer Ehe mit Beethoven angemessene Erziehung und gesellschaftliches Fortkommen der Kinder nicht zureichend gewährleistet sein könnten?

Josephine belässt es bei Andeutungen, wenn sie Beethoven im Briefentwurf schreibt: «Ich müsste heilige Bande verletzen, gäbe ich Ihrem Verlangen Gehör – Glauben Sie – daß ich, durch Erfüllung meiner Pflichten, am meisten leide – und daß gewiß, edle Beweggründe meine Handlungen leiteten.»[110] Ein Briefkonzept aus späterer Zeit bricht an bezeichnender Stelle ab: «Ich liebe Sie, und schätze ihren moralischen Charackter – Sie haben viel Liebe, und Gutes mir und meinen Kindern erwiesen, daß werde ich nie vergessen, und so lange ich lebe, werde ich stets Antheil an ihrem Schicksale nehmen, und was ich kann zu ihrem Glücke beitragen. – Dass müssen Sie mir aber nicht übel nehmen wenn ich ...»[111] Im übrigen achtet Josephine sorgsam darauf, dass von ihrer engen Verbundenheit mit Beethoven nichts nach außen dringt.

Glaubt wenigstens Beethoven mit innerer Überzeugung an eine eheliche Verbindung mit der *lieben, geliebten, einzigen* Josephine, seiner *einzigen Freundin* und *einzigen Geliebten*, wie es in seinen Briefen heißt?[112] Was bedeutet es, wenn er im Frühjahr 1805 schreibt: *Lange – Lange – Dauer – möge unsrer Liebe werden – sie ist so edel – so sehr auf wechselseitige Achtung und Freundschaft gegründet*[113]? Schwingt darin möglicherweise der vorsorgliche Verzicht auf alltägliches Glück und seine sinnliche Erfüllung mit?

Im selben Brief versucht Beethoven die Tatsache zu verharmlosen, dass offenbar alle Welt ahnt, mit welch heißem Sehnen er sein Lied *An die Hoffnung* op. 32 Josephine gewidmet hat. Die Schlussstrophe dieses im Frühjahr 1805 während der Arbeit am zweiten *Leonoren*-Akt komponierten Liedes spricht freilich für sich; dem vom Schicksal Gezeichneten ist Glück erst im Jenseits beschieden: «Und blickt er auf, das Schicksal anzuklagen, wenn scheidend über seinen Tagen die letzten Strahlen untergehn: dann laß ihn, um den Rand des Erdentraumes, das Leuchten eines Wolkensaumes von einer nahen Sonne sehn!»

Briefe Beethovens vom Herbst 1807 legen die Vermutung nahe, dass Josephine ihn zu diesem Zeitpunkt nicht mehr verlässt. Sie versichert ihn zwar weiterhin ihrer «Freundschaft» und ist an Nachrichten über sein Befinden interessiert; gleichwohl scheint Beethoven nun seinerseits Distanz geschaffen und – nach den erhaltenen Quellen zu schließen – den Briefkontakt beendet zu haben. Josephine heiratet Anfang 1810 den estnischen Baron Christoph von Stackelberg, den sie auf der Suche nach geeigneten Erziehungsinstituten und -methoden für ihre Kinder im Umkreis Johann Heinrich Pestalozzis kennen und als möglichen Erzieher ihrer Kinder augenscheinlich schätzen gelernt hatte.

Es ist vielleicht kein Zufall, dass Beethoven sich in dieser Zeit seinerseits mit Heiratsabsichten trägt. Dem in seiner Heimat Freiburg im Breisgau weilenden Ignaz von Gleichenstein schreibt er im März 1809: *nun kannst du mir helfen eine Frau suchen, wenn du dort in F. eine schöne findest, die vieleicht meinen Harmonien zuweilen einen seufzer schenkt … so knüpf im voraus an.*[114] Das mag scherzhaft oder sarkastisch gemeint sein. Doch ganz ernsthaft hält Beethoven Anfang 1810 um die Hand der damals neunzehnjährigen Therese Malfatti an, Nichte seines damaligen Hausarztes Johann Malfatti, der über ihn sagt: «Er ist ein konfuser Kerl – darum kann er doch das grösste Genie sein.»[115] Er beauftragt Gleichenstein, ihm *Leinwand oder Bengalen für Hembden auch wenigstens ein halbDutzend Halstücher*[116] zu beschaffen, lässt sich Anzüge schneidern und borgt sich von Zmeskall einen Spiegel als Ersatz für einen zerbrochenen.[117] Von Wegeler erbittet er die Übersendung eines Taufscheins – augenscheinlich, um für die Formalitäten einer Eheschließung gerüstet zu sein. Doch dazu kommt es nicht: Er wird abgewiesen.

Trost mag ihm die fünfundzwanzigjährige Bettine Brentano, spätere von Arnim, gespendet haben – jene junge Frau, die ein Jahr zuvor den sechzigjährigen Goethe ebenso ernsthaft wie spielerisch hofiert hatte und nun anlässlich eines Verwandtenbesuchs auch Beethoven den Kopf verdreht. Nach Beethovens Tod wird sie das Ihre zu dessen Mythos beitragen: Sie veröffentlicht drei angeblich ihr zugedachte Briefe, von denen nur der zweite mit Sicherheit authentisch ist.

Auch die Briefe an die *Unsterbliche Geliebte* können, wie schon angedeutet, kaum anders als Teil des «Mythos Beethoven» gesehen werden. Vieles deutet auf Josephine als Adressatin hin: Ihre Ehe mit Stackelberg ist im Juli 1812 bereits so disharmonisch, dass eine neuerliche Annäherung an Beethoven denkbar erscheint. Selbst die Mutmaßung Marie-Elisabeth Tellenbachs, die am 8. April 1813 geborene Tochter Minona stamme von Beethoven[118], ist nicht völlig von der Hand zu weisen. Andererseits ist eine Begegnung Josephines mit Beethoven in Prag oder Karlsbad im Sommer 1812 nicht nachweisbar, sodass Maynard Solomons durch einige biographische Details gestützte Auffassung, die *Unsterbliche Geliebte* in Antonie von Brentano gefunden zu haben[119], ernsthafter Prüfung bedarf.

Allerdings lebt Antonie, eine treue Freundin Beethovens, zu diesem Zeitpunkt, soweit dies aus den Quellen zu erschließen ist, in glücklicher Ehe mit Franz Brentano, einem Stiefbruder Bettines. Am 26. Januar 1811 hatte sie an ihren Schwager Clemens Sätze über Beethoven geschrieben, die man als Verehrung, jedoch kaum als Ankündigung einer heißen Liebe auffassen mag: «Ich will das Original [eines ihr übersandten Kantatentextes] in Beethovens heilige Hände legen, den ich tief verehre, er wandelt göttlich unter den Sterblichen, sein höherer Standpunkt gegen die niedere Welt, und sein kranker Unterleib verstimmen ihn nur augenblicklich, denn die Kunst hält ihn umpfangen und drückt ihn ans warme Herz.»[120] Nicht auszuschließen ist allerdings, dass ein vertrautes Zusammensein beider, wenn es denn zustande gekommen ist, von Beethoven mit weit größerer Leidenschaft erlebt und interpretiert worden ist als von ihr selbst.

Viele der bisher vorgestellten Lebenszeugnisse und besonders die beiden bedeutsamen Texte aus dem Nachlass – das «Heiligenstädter Testament» und die Briefe an die *Unsterbliche Geliebte* – vermitteln den Eindruck, Beethoven sei ein an der Welt leidender, oft umdüsterter, sich nach Liebe mehr sehnender als in ihr Erfüllung findender Mensch gewesen. Das mag zutreffen; immerhin hat auch Goethe den Komponisten, mit dem er knapp zwei Wochen nach der Niederschrift der Briefe an die *Unsterbliche Geliebte* im böhmischen Kurbad Teplitz zusammentrifft, in ähnlicher Weise charakterisiert: «Er ist leider eine ganz ungebändigte Persönlichkeit, die zwar gar nicht Unrecht hat, wenn sie die Welt detestabel findet, aber sie freilich dadurch weder für sich noch für andere genussreicher macht.»[121] Innerhalb dieser Grundstruktur ist freilich Raum für sehr unterschiedliche Verhaltens- und Erlebnisweisen gewesen. Sicherlich gab es im Alltag nicht nur Ärger und Verdruss, sondern auch Lebensgenuss, Freundschaft und Geselligkeit.

Für eine solide Haushaltsführung war Beethoven nicht geschaffen. So reißen die Klagen über nachlässiges und unehrliches Personal nicht ab, und der Umzüge innerhalb Wiens sind, wie bereits erwähnt, so viele, dass sie hier nicht im einzelnen aufgeführt werden können. Außer Frage steht, dass Beethoven misstrauisch und geizig war, außerdem sein Personal oftmals roh behandelte. Auf Köchinnen und Diener wird er oft genug wie ein unleidlicher Mensch gewirkt haben, bei dem man es nur so lange aushält, bis man eine bessere Stelle hat.

Seine Grobheit wird geradezu zur Attitüde. Den Brief des Kopisten Ferdinand Wolanek, der sich in überaus höflichen Worten gegen verbale Ausfälle Beethovens verwahrt, versieht er mit dem Kommentar: *Mit einem solchen Lumpenkerl, der einem das Geld abstiehlt, wird man noch Komplimente machen, statt deßen zieht man ihn bey seinen Eselhaften Ohren.* Und weiter: *Schreib=Sudler! Dummer Kerl! Korrigiren sie ihre durch Unwissenheit, Übermuth, Eigendünkel u. Dummheit gemachten Fehler, dies schikt sich beßer, als mich belehren zu wollen denn das ist gerade, als wenn die Sau die Minerva lehren wollte. Beethoven.*[122]

Beethoven kann froh sein, gleichwohl immer wieder treue und verständnisvolle Helfer zu finden. Bezeichnend ist ein Billett an den befreundeten Baron Nikolaus von Zmeskall vom April 1809: *Mein lieber Z. Es hat sich eben eine passende Wohnung für mich gefunden, – aber ich brauche jemand, der mir hierin behülflich ist, meinen Bruder kann ich nicht dazu nehmen, weil er nur immer das, was am wenigsten kostet, befördert – laßen sie mir also sagen, wann wir zusammen heute diese Wohnung ansehn könnten – diese Wohnung ist im Klepperstall.*[123]

Ferdinand Ries, der Beethoven im Jahr 1804 eine Wohnung im Pasqualati-Haus auf der Mölkerbastei mit einem schönen Blick über das Glacis, die Vorstadt und die Gebirge im Wiener Vorland vermittelt, erinnert sich: «Er zog aus letzterer mehrmals aus, kam aber immer wieder dahin zurück, so daß, wie ich später hörte, der Baron Pasquillati gutmüthig genug, wenn Beethoven auszog, sagte: ‹Das Logis wird nicht vermiethet; Beethoven kömmt schon wieder.›» Dass Beethoven damals vier Wohnungen zur gleichen Zeit gehabt habe, vermag Ries allerdings nicht recht glaubhaft zu rekonstruieren.[124]

Bevor Beethoven auf die Mölkerbastei zieht, hat er mit Stephan von Breuning in einer gemeinsamen Wohnung im «roten Haus» am Alservorstädter Glacis gewohnt. Auseinandersetzungen, wie sie zum Alltag gehören, sind für Beethoven Anlass, den Partner in Grund und Boden zu verdammen. Nachdem er an Breuning in einer Mietangelegenheit den *Geist der Kleinlichkeit* entdeckt hat, bricht er mit ihm; *und nun auch keine Freundschaft mehr*, schreibt er in diesem Zusammenhang an Ferdinand Ries, und weiter: *Nein, nie mehr wird er in meinem Herzen den Platz behaupten, den er hatte. Wer seinem Freunde eine so niedrige Denkungsart beimessen kann, und sich ebenfalls eine solche niedrige Handlungsart wider denselben erlauben, der ist nicht werth der Freundschaft von mir.*[125] Eine Versöhnung macht vor allem das Einlenken des als sehr duldsam geschilderten Breuning möglich. In späteren Jahren findet Beethoven beim Ehepaar Breuning immer wieder familiäre Aufnahme und wohltuende Herzlichkeit.

Dass er manchen an einem Tag grob beschimpft, am anderen um Nachsicht bittet, dürfte ihm in seiner Selbstherrlichkeit als normales, vielleicht gar liebenswertes Verhalten erschienen sein. *Komme Er nicht mehr zu mir! Er ist ein falscher Hund und falsche Hunde hole der Schinder*, schreibt er einem Freund – nach älterer Forschungsmeinung dem jungen Pianisten und Komponisten Johann Nepomuk Hummel, um am nächsten Tag einzuräumen: *Herzens Natzerl! Du bist ein ehrlicher Kerl und hattest Recht, das sehe ich ein; komm also diesen Nachmittag zu mir, du findest auch den Schuppanzigh und wir Beide wollen dich rüffeln, knüffeln und schütteln, daß du deine Freude d'ran haben sollst. Dich küßt dein Beethoven auch Mehlschöberl genannt.*[126]

Es ist schwer zu entscheiden, was hier spontane Herzlichkeit, was stilisierte Jovialität ist. In die Briefe an Zmeskall streut Beethoven fast stereotyp Scherze und launige Wortverdrehungen ein, die freilich oft auf Kosten des Adressaten gehen; dieser hat die Rolle des gutmütigen «Opfers» zu übernehmen und wird als *Baron Dreckfahrer*, als *Faschingslump* und *verdammtes ehemaliges Musikgräferl* tituliert.[127]

Seinen Schülern gegenüber kann Beethoven von großer Fürsorglichkeit sein. Ferdinand Ries erzählt: «In dem Empfehlungsbriefe meines Vaters an Beethoven war mir zu gleicher Zeit ein kleiner Credit bei ihm eröffnet, im Falle ich dessen bedürfte. Ich habe nie bei Beethoven Gebrauch davon gemacht; als er aber einigemal gewahr wurde, dass es mir knapp ging, hat er mir unaufgefordert Geld geschickt, das er jedoch niemals zurücknehmen wollte.»[128] Demgemäß heißt es in einem Brief Beethovens an Ries aus dem Jahr 1803: *[…] warum verbargen sie mir ihre Noth, keiner meiner Freunde darf darben, so lange ich etwas hab.*[129]

Was zur äußeren und inneren Organisation des Lebens notwendig ist, lässt sich Beethoven vor allem von seiner Umwelt bereitstellen: Geldmittel, Wohnung, Häuslichkeit, Freundschaft, Geselligkeit, Emotionalität. Gewiss tut er das Seine dazu; und keineswegs fehlt ihm die Disposition zur Hilfsbereitschaft gegenüber anderen. Doch vor allem rechnet er ebenso selbstbezogen wie selbstverständlich mit der Bereitwilligkeit

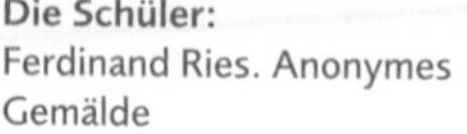

Die Schüler:
Ferdinand Ries. Anonymes Gemälde

Carl Czerny.
Stahlstich von Carl Meyer

seiner Umgebung, ihm ein nur der Kunst gewidmetes Leben zu ermöglichen. Er ist – vom Kastratenkult einmal abgesehen – vielleicht der erste herausragende Künstler, dem es gelingt, die Pflege seines Narzissmus zu einer öffentlichen Angelegenheit zu machen. Das ist freilich nur möglich, weil seine Umgebung insgeheim ähnlich narzisstische Wünsche hat, sie aber nicht persönlich, sondern nur in der Identifikation mit der Kunst auszuleben wagt. Mit einer in diesem Sinne modernen, «absoluten» Kunst aber vermag Beethoven zu dienen – soll man ihm dafür nicht seinerseits persönlich zu Diensten sein?

Will Beethoven dem Steinbruch des realen Lebens entkommen, so flieht er in die unberührte Natur. Sie bietet ihm die Erfahrung von Einheit und Sinnhaftigkeit, welche ihm die menschliche Gesellschaft versagt. Ruft Faust auf dem Osterspaziergang angesichts der zufrieden jauchzenden Volksmenge: «Hier bin ich Mensch, hier darf ich's sein», so kommt Beethoven gerade in der Einsamkeit der Natur zu sich. Dass er in fast all seinen Wiener Jahren die Sommermonate auf dem

Land verbringt, entspringt nicht nur dem Wunsch nach Erholung: *Mein unglückseliges Gehör plagt mich hier nicht. ist es doch, als wenn jeder Baum zu mir spräche auf dem Lande, heilig! heilig!*, schreibt er 1815 in ein Notizbuch.[130] Charles Neate erinnert sich: «Natur war gleichsam seine Nahrung, er schien förmlich darin zu leben.»[131]

An Therese Malfatti schreibt Beethoven im Mai 1810: *kein Mensch kann das Land so lieben wie ich – geben doch Wälder Bäume Felsen den Widerhall, den der Mensch wünscht.* Und 1818 notiert er anlässlich eines Sommeraufenthalts in Mödling in einem Skizzenbuch: *Nur einige Täge in dieser göttl. Briel – Sehnsucht oder Verlangen – Befreiung o. Erfüllung.*[132] In welchen Sinnzusammenhang die beiden letztgenannten Begriffspaare zu setzen sind, ist nicht eindeutig. Doch auf jeden Fall wird deutlich, dass der Gefühlsstau, welcher für Beethovens Seelenlage so charakteristisch ist, am ehesten in der Natur und durch sie aufgelöst werden kann.

Bezeichnenderweise enthalten die beiden großen Seelendokumente, die Beethoven hinterlassen hat, einen Ausblick auf die Natur als heilende oder doch beruhigende Kraft: In der Nachschrift zum «Heiligenstädter Testament» wünscht er sich, noch einmal *einen reinen tag der Freude [...] im Tempel der Natur und der Menschen zu erleben*; die *Unsterbliche Geliebte* ermutigt er, *in die schöne Natur* zu blicken und damit ihr *Gemüth über das müßende* zu beruhigen.

Beethoven hat nicht gelernt, den eigenen Körper mit Lust zu bewohnen, doch er kennt einen Ersatz: die Natur. Die Goethe'sche Metapher vom «Busen der Natur» trifft, obwohl sie eine für Beethoven wesentliche, nämlich die religiöse Komponente ausspart, den Sachverhalt recht genau: Die Natur ist reine Labung; sie macht die Peinigungen des Daseins und die Enttäuschungen seitens der Gesellschaft vergessen; sie lässt den Menschen im großen Ganzen aufgehen.

Das darin liegende Moment von Entlastung, ja Regression, hat Beethoven freilich nur in sein Leben übernommen, nicht in sein Werk: Dort setzt er sich bis in sein Spätwerk hinein mit den Widersprüchen des Einzelnen, der Gesellschaft und des

Daseins auseinander, sucht mit allen seinen *Kunst-Fähigkeiten* nach immer neuen Lösungen – getreu dem Bekenntnis, das er 1819 gegenüber dem Erzherzog Rudolph ablegt: *Freiheit, Weitergehn, ist in der Kunstwelt, wie in der ganzen großen Schöpfung, Zweck.*[133]

Stellt man Beethovens widersprüchlichem Leben, seinem unerfüllten Sehnen nach irdischem Glück die Kraft seiner Ideen gegenüber, so erinnert man sich der Worte, die Nietzsches Zarathustra dem Volk entgegenschleudert: «Wehe! Es kommt die Zeit, wo der Mensch nicht mehr den Pfeil seiner Sehnsucht über den Menschen hinaus wirft, und die Sehne seines Bogens verlernt hat, zu schwirren! Ich sage euch: man muß noch Chaos in sich haben, um einen tanzenden Stern gebären zu können.»[134]

Die Werke des «heroischen Stils»

Der dreißigjährige Beethoven, der um 1800 das Erbe Haydns und Mozarts antritt, ist von dem Bewusstsein getragen, ein Prometheus seiner Epoche zu sein – ein Lichtbringer nicht nur im Reich der Musik, sondern in dem des Geistes allgemein. Als Bettine von Arnim ihn im Jahre 1810 in Wien besucht, sieht sie ihn als «Begründer einer neuen sinnlichen Basis im geistigen Leben»; später legt sie ihm in ihrem Briefroman «Goethes Briefwechsel mit einem Kinde» anlässlich dieser Begegnung die Worte in den Mund: «Sprechen Sie dem Goethe von mir, sagen Sie ihm, er soll meine Symphonien hören, da wird er mir recht geben, daß Musik der einzige unverkörperte Eingang in eine höhere Welt des Wissens ist, die wohl den Menschen umfaßt, [jedoch dergestalt], daß er aber nicht sie zu fassen vermag. – Es gehört Rhythmus des Geistes dazu, um Musik in ihrer Wesenheit zu fassen: sie gibt Ahnung, Inspiration himmlischer Wissenschaften, und was der Geist sinnlich von ihr empfindet, das ist die Verkörperung geistiger Erkenntnis.»[135]

Wir wissen nicht, in welcher Weise Bettine Wahrheit und Dichtung vermischt hat. Auf alle Fälle spricht sie aus, was die gebildete Welt ihrer Zeit über den Komponisten denkt: Durch Beethoven wird die musikalische Kunst auf eine ganz neue

Stufe gehoben, wird «absolut» – im Sinne einer Musik, die weder als Gebrauchskunst nur innerhalb eines jeweils genau umschriebenen gesellschaftlichen Kontextes verständlich ist, noch als dienende Kunst zur Entfaltung ihrer Kräfte eines Textes, dramatischen Sujets oder bildlichen Vorwurfs bedarf. Musik sagt gerade das nicht Sagbare, ist reiner Geist, wenngleich sinnlich nah wie keine andere Kunst.

Für die beiden Musikenthusiasten Ludwig Tieck und Wilhelm Heinrich Wackenroder, die in den 1799 erschienenen «Phantasien über die Kunst» erstmals vom absoluten Wesen der Musik sprechen, ist es tendenziell noch unwichtig, welcher Klänge sie sich bedienen, um sich «still in das Land der Musik, als in das Land des Glaubens»[136] zurückzuziehen und eine Ahnung des Absoluten zu erhalten: Wesentlich ist ihre eigene, «andächtige» Haltung der Musik gegenüber. Vor den Kompositionen Beethovens erweist sich dieser dem Subjekt überlassene Zugang zum Absoluten der Musik als unzureichend: Hier tritt ein Musiker in den Kreis der Dichter und Denker ein, über die Martin Heidegger in philosophischer, jedoch auf die Geistesgeschichte durchaus übertragbarer Begrifflichkeit sagt: «Sie werfen dem überwältigenden Walten den Block des Werkes entgegen und bannen in dieses die damit eröffnete Welt.»[137]

Für das «überwältigende Walten» hat Beethoven sein eigenes Wort: Schicksal. Sicherlich ganz in seinem Sinne heißt es in Goethes «Egmont», zu dem Beethoven gerade im Bettine-Jahr 1810 die Schauspielmusik schreibt: «Wie von unsichtbaren Geistern gepeitscht, gehen die Sonnenpferde der Zeit mit unseres Schicksals leichtem Wagen durch: und uns bleibt nichts, als, mutig gefaßt, die Zügel festzuhalten.» Für Beethoven kann sich der Sinn seiner Existenz freilich nicht in der Anstrengung erschöpfen, das eigene Lebensschicksal auszuhalten. Er wirft ihm vielmehr – hier bewährt sich die Bildhaftigkeit von Heideggers Sprache – den Block des eigenen Werkes entgegen: Das Werk eröffnet den eigentlichen Dialog mit dem Schicksal, tritt ihm mit einem Selbstbewusstsein entgegen, welches der Person als solcher nicht zur Verfügung stünde.

Dieses Werk ist objektivierter Geist, indem es die Welt eröffnet und zugleich bannt. Das «Eröffnen» der Welt bedeutet für Beethoven, dass diese durch die Kunst und in der Kunst denkbar, erlebbar, sagbar wird; wir erinnern uns der S. 62 geschilderten Begebenheit, in der Beethoven mit Dorothea Ertmann *in Tönen* über den Verlust ihres Kindes spricht, nachdem er zuvor nicht in der Lage gewesen ist, ihr sein Beileid in Worten auszudrücken. Die Welt zu «bannen» heißt für den Komponisten, ihr jenen höheren, idealen Sinn zu geben, den ihm die Realität oft genug verborgen hält.

Heideggers Satz lässt ermessen, was «absolute Musik» vor dem Horizont der Beethoven'schen Kunst bedeuten könnte. Musik ist nicht mehr das, was man bis dahin weitgehend in ihr gesehen hat: gelehrtes oder Spielwerk, Auftrags- und Unterhaltungskunst, Darstellung von Affekten, Ausdruck von Empfindungen. Sie ist tönende Philosophie, hat Anteil an den Ideen und Strömungen ihrer Zeit. Diese werden vom Tondichter nicht als Sujet für irgendeine Art von Programmmusik verwendet, vielmehr in eine eigenständige Form gegossen, welche auch ohne detaillierte Kenntnis der persönlichen Erfahrungen des Komponisten und seiner Auseinandersetzung mit dem Zeitgeist plausibel ist. Diese Form, die autonom zu nennen wenig hilfreich ist, beherbergt – gleich dem menschlichen Körper – einen Geist. Dass der Zusammenhang zwischen «Körper» und «Geist» im einzelnen schwierig zu bestimmen ist, ändert nichts an der Tatsache, dass das «Ganze» nur als ein Wechselspiel verständlich ist. Musikforscher, die nur der kompositorischen Struktur nachgehen, gleichen Anatomen oder bestenfalls Physiologen, welche den Körper betrachten, ohne etwas von Seele und Geist wissen zu wollen.

Ein Vergleich der f-Moll-Klaviersonate op. 2,1 mit der *Pathétique* op. 13 und der so genannten Sturm-Sonate op. 31,2 zeigt deutlich, mit welch schnellen Schritten Beethoven sein neues Werkverständnis verwirklicht. Der Kopfsatz der S. 33 charakterisierten f-Moll-Sonate ist bereits ganzer Beethoven, was den vorwärtsdrängenden Gestus und die knappe Formung angeht; zugleich aber zeigt er in der getreuen Befolgung des Sonatensatzschemas, einer weitgehend symmetrischen Phrasenbildung sowie in der Bevorzugung von Oberstimmenmelodik und Zweistimmigkeit durchaus konventionelle Züge.

Die nur drei Jahre später veröffentlichte *Pathétique* holt in vieler Hinsicht weiter aus. Schon ihr Name – neben dem *Les adieux* zur Kennzeichnung des op. 81 a Beethovens einziger programmatischer Titel für eine Klaviersonate – hat spezifisches Gewicht. Die Sprachgewalt wächst, die Klangräume weiten sich, und der bis zur Achtstimmigkeit sich ausdehnende Klaviersatz zeigt bei gewaltig gewachsenem pianistischem Anspruch fast orchestrale Farben. Die Sonatensatzform ist keine verbindliche Norm mehr, sondern nur noch Ausgangspunkt für individuelle Gestaltung. So wird der Kopfsatz vom Gestus eines lastenden *Grave* bestimmt, das nicht nur als Einleitung auftritt, sondern auch zu Anfang der Durchführung und kurz vor Schluss den Ton angibt. Es konzentriert Kraft, lädt die Komposition mit düsterem Pathos auf und hat – im Kontext der Sonatenüber-

Zwei von Beethovens Künstlerinnen:
Baronin Dorothea Ertmann, geniale Interpretin der Klaviersonaten. Miniatur von J. D. Oechs

Henriette Sontag, welche die Sopranpartie in der Erstaufführung der Neunten Sinfonie sang. Reproduktion nach einem Porträt von P. Delaroche

schrift – eine sinnfällige Semantik, die sich allein an der nur einen Takt umfassenden ersten Phrase ablesen lässt: Der markante Rhythmus der französischen Ouvertüre suggeriert Gewichtigkeit, der als Vorhalt auf der dritten Taktzeit herausgehobene verminderte Septakkord Aufgewühltheit; die abfallende kleine Sekunde am Ende ist in alter Tradition als Seufzerfigur zu verstehen.

Das alles ist auf einen Atem zu artikulieren und in diesem Sinne geradezu sprechend. Dass der Beethoven-Forscher Harry Goldschmidt der Frage nachgegangen ist, ob sich derlei Phrasen Textworte im Sinne charakteristischer Devisen unterlegen ließen[138], hat ihm immer wieder Kritik eingetragen; indessen ist unüberhörbar, dass Beethoven hier wie an anderen Stellen mit rhetorischen Mitteln komponiert. Das zeigt sich auch an der Fortsetzung der Phrase: Sie wird auf immer höherer Tonstufe im Sinne einer eindringlichen Steigerung wiederholt, sodass auch hier das rhetorische Moment unmittelbar nachvollziehbar ist:

Klaviersonate c-Moll op. 13 («Pathétique»), Anfang

Nach einigen Takten entlädt sich die angesammelte Energie: Aus einem schnellen Abwärtslauf heraus wird das *Allegro di molto e con brio* erreicht, dessen Charakter von «Sturm und Drang» bestimmt ist:

Klaviersonate op. 13 («Pathétique»), Hauptgedanke des 1. Satzes

Beide Momente – das *Grave* und das *Allegro* – durchdringen sich in der Folge gegenseitig. Man denkt an Beethovens Äußerung gegenüber Wegeler aus dem Jahr 1800: *Ich will dem Schicksal in den Rachen greifen; ganz niederbeugen soll es mich gewiß nicht.* Diese ist sicherlich kein «Programm» für den ersten Satz der *Pathétique*, zeigt aber analoge Denkstrukturen im Sinne eines Aufbäumens gegen bedrückende Erfahrungen.

Der Gewinn gegenüber op. 2,1 liegt ebenso im strukturellen wie im semantischen Bereich: Die Komposition ist vielfältiger und differenzierter, arbeitet Kontraste, Entsprechungen, Steigerungen mit größerer Kunst aus. Gegenüber dem jünglinghaften, sehnigen Klangkörper der frühen Sonate wirkt derjenige der späteren entwickelter, fülliger, freilich auch verquälter. Demgemäß begnügt sich der Komponist in der *Pathétique* – anders als tendenziell im ersten Satz des op. 2,1 – nicht mit der Vorführung eines einzigen Gestus, breitet vielmehr eine differenzierte seelische Landschaft aus.

Schon wenige Jahre später hat Beethoven einen weiteren Schritt getan: Der erste Satz der d-Moll-Sonate op. 31,2 lässt sich nicht länger als Abbild eines typischen Gestus, Nachzeichnung eines Charakters oder Ausdruck eines bestimmten seelischen Erlebens deuten. Von Anbeginn ist die Musik ganz sie selbst: Indem das als arpeggierter Sextakkord wie aus einem Urnebel schemenhaft aufsteigende Largo und das darauf folgende rhythmisch-melodisch scharf konturierte, atemlos vorwärtshastende Allegro sich auf engstem Raum begegnen, entsteht eine kaum auszuhaltende Spannung:

Klaviersonate d-Moll op. 31,2 («Sturmsonate»), Anfang

Diese sechs Eingangstakte stellen keine regelhaft gebaute Phrase dar, sind nicht schön, nicht einmal psychologisch oder rhetorisch ohne weiteres plausibel, wenngleich in der Tradition des akkordischen und figurativen Präludierens gut nachvollziehbar; sie sind, um mit Bettine von Arnim zu sprechen, «Rhythmus des Geistes»; sie wollen nicht erklärt werden, gestatten höchstens Annäherung durch bildliche Vergleiche. Beethoven umreißt hier nicht, wie noch in der *Pathétique*, ein griffiges Thema – er denkt.

Es ist spannend, den weiteren Verlauf dieses Denkens nachzuvollziehen. Auf die Einleitung folgt das Hauptthema, makellos gebaut, energisch im Duktus und doch zu konventionell, um auf der Höhe der Einleitung zu bleiben:

Klaviersonate op. 31,2, Hauptgedanke des 1. Satzes (ohne die Mittelstimme)

Freilich wird es in seiner Stabilität angefochten – vor allem in demjenigen Abschnitt des ersten Satzes, der nach traditionellem Sonatensatzschema die Reprise zu bilden hätte: Dort hat es – gleich dieser – geradezu ausgespielt. Stattdessen erklingen noch einmal die Eingangstakte, freilich unterbrochen durch ein *con espressione e semplice* vorzutragendes zweiteiliges Rezitativ. Der denkerische Prozess des Anfangs wird wieder aufgenommen und zugleich gewaltig erweitert: Die dialektische Spannung löst sich im Seufzer des Subjekts. Was dieses sagen will, bleibt offen; d a s s es sich zu Wort meldet, ist das eigentliche Ergebnis dieses Satzes – kein vom Prinzip des Sonatensatzes formal erzwungenes, sondern ein in freier Geisttätigkeit gewonnenes.

Klaviersonate op. 31,2, Übergang in das «Rezitativ»

Kurz nach 1800 soll Beethoven geäußert haben, er sei mit seinen bisherigen Arbeiten *nur wenig zufrieden*, sodass er einen *neuen Weg* einzuschlagen gedenke. Carl Czerny, der diesen Ausspruch überliefert, versieht ihn mit dem Hinweis, dass man in den Klaviersonaten des op. 31 «die teilweise Erfüllung seines Entschlusses» erkennen könne[139], und macht damit deutlich, wie sensibel aufmerksame Zeitgenossen für das Neue in Beethovens Kunst waren. Und sicherlich ist es auch kein Zufall, dass Anton Schindler den Meister Jahre später ausgerechnet im Blick auf die Klaviersonate op. 31,2 (und diejenige op. 57) nach dem «Schlüssel» zu ihrem Verständnis gefragt hat: Ein Satz wie der erste von op. 31,2 erschließt sich dem Hörer weder durch einen Rekurs auf die formale Konvention noch durch Assoziation oder programmatische Deutung.

Die von Schindler mitgeteilte Antwort Beethovens, *Lesen sie nur Shakespeare's Sturm*[140], ist, wenn sie denn authentisch sein sollte, sibyllinisch, jedoch keineswegs ohne Sinn. Sie verweist auf die Höhe des Niveaus, auf welchem der von seinen Zeitgenossen «ein musikalischer Shakespeare» genannte Komponist[141] über seine Kompositionen gesprochen wissen will. So wenig Shakespeare in seinem Altersdrama «Sturm» die formale Strenge vernachlässigt, so wenig verzichtet er doch auf eine philosophische Botschaft; dasselbe gilt für Beethoven. Nicht von ungefähr bescheinigt ihm Richard Wagner in seiner Schrift «Die Kunst und die Revolution», der Musik «männliche, selbständige Dichterkraft» verliehen zu haben.[142]

In seinen Memoiren über die Jahre 1827/28 schrieb Hector Berlioz: «Ich hatte soeben Shakespeare und Weber nacheinander erlebt; kurz darauf sah ich an einem anderen Punkt des Horizonts den gewaltigen Beethoven auftauchen. Er erschütterte mich fast so stark, wie Shakespeare es getan hatte. Er eröffnete mir in der Musik eine neue Welt, wie der Dichter mir in der Poesie ein neues Weltall enthüllt hatte.» – Beethoven neben Shakespeare zu stellen, war noch für Friedrich Nietzsche «der kühnste wahnsinnigste Gedanke».

Was hier exemplarisch an drei Klaviersonaten dargestellt worden ist, gilt fast noch mehr für den Sinfonienkomponisten Beethoven, dem ein Dutzend Jahre genügen, um eine Idee von Sinfonik auszuformen, die das Jahrhundert überdauern und zunächst in Wien, dann in Europa, schließlich in der ganzen Welt Maßstäbe setzen wird. Bereits 1812, im Jahr der Siebten und Achten, kann Beethoven auf ein sinfonisches Werk blicken, das ihn in diesem Bereich zum unbestrittenen Heros macht.

Mit seinem neuen, emphatischen Verständnis von Sinfonik ist Beethoven nicht ohne Vorbilder. Vor allem Mozarts späte Sinfonien sind hier zu nennen, nicht zuletzt die «Jupiter-Sinfonie». Doch diese Werke bleiben zu Lebzeiten des Komponisten unaufgeführt oder unbeachtet. Erst Beethoven findet zu Anfang des neuen Jahrhunderts «sein» Publikum, das die Aufführungen von sinfonischer Musik – mit den Worten Paul Beckers – als Sinnbild einer «musikalischen Volksversammlung»[143] zu verstehen vermag, welche in idealtypischer Weise an den leitenden Ideen der Zeit Anteil hat und den menschheitsverbindenden Sinn der Musik mitvollzieht; umgekehrt findet und fördert dieses Publikum «seinen» Beethoven. Auch vor dieser Öffentlichkeit wird die Gattung nun endgültig aus dem Dunstkreis von Gebrauchs- und Unterhaltungsmusik gerückt.

Schon in der langsamen Einleitung der Ersten stellt sich Beethoven Problemen, die dadurch erwachsen, dass eine Sinfonie nicht länger in erster Linie Gattungsvertreterin, sondern unverwechselbares Einzelstück ist: Wie schafft man einen Anfang, der suggestiv – «als ob es nicht anders sein könne» – in das Werk einführt und zugleich verdeutlicht, dass hier ein Künstler sein Material auf ganz individuelle, nur ihm verfügbare Weise formt; und wie verdeutlicht man eine ästhetische Konzeption, derzufolge es in der Musik nicht um schöne Melodien, zündende Rhythmen und wohl abgemessene Formen, sondern um geistige Prozesse geht?

Die ersten Akkorde öffnen den entsprechenden Horizont: Sie setzen keinen entschiedenen Anfangsakzent, führen nicht, wie es der Tradition entspräche, in die Tonart ein, ja nicht einmal direkt auf sie hin; sie beginnen vielmehr – neu in der Musikgeschichte – mit einer Dissonanz, die sich in die Subdominante auflöst, welche ihrerseits über Dominante, Tonika-Parallele und Doppeldominante zur Dominante führt, bevor erstmals die Grundtonart in Sicht kommt. Einem Raubvogel vergleichbar, der lange in der Luft kreist, ehe er auf sein Opfer hinabstößt, findet das sinfonische Ich, von dem man bei Beethoven zu sprechen geneigt ist, erst nach einigem Suchen und Tasten, zuletzt freilich mit großer Zielsicherheit, sein Thema:

Erste Sinfonie, Anfang und Übergang ins Allegro (Klavierauszug)

Dieser komplexe Prozess ist mit «Entwicklung» nur unzureichend beschrieben – es soll eine allgemeine Erfahrung prägnant werden! Aus Suchen wird Finden, aus Unschärfe Schärfe, aus Komplexität Eindeutigkeit. Gerade an einem kleinen Beispiel wie diesem lässt sich verdeutlichen, was Philosophieren in Tönen heißt: Auseinandersetzung mit der Welt im speziellen Medium der Musik. Dass diese Auseinandersetzung nicht im Abstrakten und Überzeitlichen angesiedelt ist, ihre Prägnanz vielmehr auch im geschichtlichen Kontext hat, zeigt der semantische Horizont des Hauptthemas: Dieses verkörpert nicht Energie und Aufwärtsdrang schlechthin, sondern folgt einem Gestus, welcher aus den für die nationalen Feste geschriebenen Musiken der Französischen Revolution bekannt ist und zum Beispiel in der «Ouverture de la journée de Marathon» des Beethoven wohl bekannten Geigers Rodolphe Kreutzer zu finden ist.[144] Selbst wenn man, allgemeiner bleibend, den Elan des Hauptthemas lieber mit dem fortreißenden Schwung einer Pindar'schen Ode vergleicht[145], ist die Welt, die hier eröffnet und zugleich gebannt wird, durchaus identifizierbar.

Will ein Komponist jede seiner Sinfonien als Ideenkunstwerk mit spezifischem Gewicht verstanden wissen, so muss er die Gesamtzahl zwangsläufig überschaubar halten. Können und wollen Goethe und Schiller Dramen nicht am laufenden Band produzieren, weil sie keine genormte Bühnenunterhaltung nach Art des Modedichters August von Kotzebue bieten, ihre Helden vielmehr als unverwechselbare Charaktere modellieren wollen, so liegt es dem Tondichter Beethoven fern, auf Bestellung eine Sinfonie nach der anderen zu komponieren. Auch er versteht seine Tätigkeit als das konzentrierte Formulieren von Gedanken, die der Geist der Zeit aus sich heraustreibt.

Diese Gedanken müssen freilich auf spezifisch musikalische Weise gefasst werden. In welcher Art Beethoven um eine adäquate Bewältigung des Form-Inhalt-Problems ringt, ist an seiner Beschäftigung mit dem Prometheus-Stoff abzulesen.

Beethoven im Jahr 1803. Miniatur auf Elfenbein von Christian Horneman

Wie bereits auf S. 41 f. dargestellt, nimmt er nach der öffentlichen Anerkennung der Ersten Sinfonie in Gestalt des Balletts *Die Geschöpfe des Prometheus* ein Großwerk in Angriff, das aufgrund seiner Gattungszugehörigkeit besser noch als eine rein instrumentale Komposition geeignet erscheinen muss, leitenden Ideen der Zeit konkreten Ausdruck zu geben: Die Bühnenhandlung sorgt dafür, dass über die Botschaft kein Zweifel aufkommen kann.

Doch diese Lösung dürfte dem Komponisten trotz ihres Erfolgs beim Publikum letztlich zu platt erschienen sein: Sie lässt die Musik nicht als Herrin, sondern als Dienerin auftreten und missachtet ihre spezielle Fähigkeit, das anders nicht Sagbare zu sagen. So wendet sich Beethoven dem Sujet ein zweites Mal zu und komponiert statt eines heroischen Balletts eine heroische Sinfonie, die *Eroica.* Der Prometheus-Gedanke, Mittelpunkt der Ballethandlung, wird nicht mehr verbal benannt, sondern als m u s i k a l i s c h e s Thema behandelt: Durch Töne, nicht durch Programme sollen die Zuhörer zu jener heroischen Haltung gebracht werden, die das Sujet ausdrückt. Die Musik spricht freilich für sich; der festliche Kontretanz, welcher das Finale der *Eroica* beherrscht, ist derjenige des Ballett-Finales – dort aber freuen sich Prometheus und seine Kinder des neu geschaffenen Menschengeschlechts. Doch damit nicht genug, die Sinfonie steuert in ihrer Thematik von Anbeginn auf die abschließende Prometheus-«Hymne» zu.

Dritte Sinfonie («Eroica»), Kontretanz-Thema des Finales

Über diese offensichtlichen Bezüge zwischen Ballett und Sinfonie hinaus hat Peter Schleuning auch in Details auf frappierende Übereinstimmungen zwischen der Ballett-Handlung und der Gestik namentlich des Kopfsatzes der *Eroica* hingewiesen. Sollte es sich tatsächlich um eine Art verschwiegenes Pro-

«Le Premier Consul franchissant les Alpes». Gemälde von Jacques-Louis David, 1800. «Malen Sie mich ruhig auf einem wilden Pferde sitzend», so zitiert im Jahre 1855 der Beethoven-Biograph Wilhelm von Lenz Napoleon Bonaparte und fährt fort: «So auch malt die Sinfonia eroica Napoleon, den Sohn des furchtbarsten Ideenumschwungs, ruhig auf einem wilden Pferde sitzend.»

gramm handeln, so könnte man es als Starthilfe für den Komponisten verstehen, sich auch innerhalb der sinfonischen Gattung von konventioneller, am Sonatensatzschema orientierter Schreibweise zu lösen und auf eine Ideenkunst zuzusteuern. Zweifellos birgt auch der Schlusssatz noch Geheimnisse: Er wartet mit einer Fülle heterogener Elemente auf und ist in diesem Sinne weder mit traditionellen Finalrondi noch mit den affirmativen Schlüssen späterer Sinfonien Beethovens auf eine Stufe zu stellen.

Beethoven will die Sinfonie zeitweilig nach Napoleon benennen oder ihm widmen; als Reaktion auf die Nachricht, dass sich der Bewunderte am 2. Dezember 1804 in Paris selbst zum Kaiser gekrönt habe, zerreißt er – der Erinnerung von Ferdinand Ries zufolge – das Titelblatt mit der entsprechenden Widmung und ruft voller Empörung aus: *Ist der auch nichts anders, wie ein gewöhnlicher Mensch! Nun wird er auch alle Menschenrechte mit Füßen treten, nur seinem Ehrgeize fröhnen.*[146]

Auf dem Titelblatt der Ende Oktober 1806 erschienenen Originalausgabe der Stimmen hat Beethoven die Sinfonie dann *dem Andenken eines großen Mannes* gewidmet, was deutlich auf einen Toten hinweist – vielleicht auf den von Beethoven verehrten preußischen Prinzen Louis Ferdinand, welcher kurz zuvor in der Schlacht bei Jena und Auerstedt gegen die Franzosen gefallen und damit zu einem Symbol des Freiheitskampfes der europäischen Völker gegen Napoleon geworden war.

Ein solch schwerwiegender Austausch des «Helden» der *Eroica* würde, wenn er denn stattgefunden hätte, nur vordergründig befremdlich sein. Dem Komponisten geht es um die Idee des Heldischen; diese haftet zwangsläufig bestimmten geschichtlichen Situationen und Personen an, ist aber nicht auf sie fixiert: Beethovens Freiheitsideale sind von der Französischen Revolution und ihrem «Erfüller» Bonaparte angeregt, gehen aber nicht mit diesem unter. Der gescheiterte Revolutionär Richard Wagner urteilt 1851 im Schweizer Exil, man dürfe das «Heroische» der Sinfonie «keinesweges nur etwa als auf einen militärischen Helden bezüglich auffassen»; Held sei vielmehr «der ganze volle Mensch, dem alle rein menschlichen Empfindungen – der Liebe, des Schmerzes und der Kraft – nach höchster Fülle und Stärke zu eigen sind»[147]. Diese optimistische Sichtweise berücksichtigt freilich nicht die von Hans Mersmann beobachteten «negativen, atektonischen, formlosen, zerstörenden» Momente namentlich in der Durchführung des ersten Satzes[148], die jene «Katastrophe» markieren, aus der das an dieser Stelle ganz unvorschriftsmäßig erscheinende Oboenthema in e-Moll wie eine höhere Stimme schließlich den Ausweg weist:

Dritte Sinfonie, das e-Moll-Thema aus der Durchführung des 1. Satzes

Der anlässlich der Klaviersonate op. 31,2 ins Gespräch gebrachte *neue Weg* Beethovens setzt sich in der *Eroica* deutlich fort: An ihr zeigt sich geradezu ein Überschuss im Bemühen um eine die Tradition überwindende, auf differenzierte Weise diskursive Musik; wohl nicht zufällig gilt sie als Beethovens schwierigste Sinfonie. Dass sie zwar schwer-, aber nicht unverständlich ist, hängt mit kompositionstechnischen Neuerungen zusammen, die Carl Dahlhaus als Ausdruck des *neuen Weges* ansieht: «Musikalische Form» erscheint «in einem emphatischen Sinne als Prozess, als drängende, unaufhaltsame Bewegung»[149]; und das ermöglicht den Hörern ein Mitgehen, auch wo sie Details vielleicht nicht ohne weiteres in ein geistiges Gesamtkonzept einordnen können.

Ein Drittes kommt hinzu: So argumentativ Beethoven in der *Eroica* ist, so souverän herrscht er zugleich über die Orchestermassen. Seit der Dritten geht es in seinen Sinfonien nicht mehr nur um die Darstellung melodischer Linien, thematischer Prozesse und harmonischer Bewegungen, sondern zugleich um die Fähigkeit des Orchesterapparats, musikalische Gestalten aus sich herauszutreiben, Klangballungen zu ermöglichen, die nicht strukturell zu hören, sondern nur als gigantischer Energieaustausch zu vernehmen sind. Hier gibt es eine Dialektik von geistiger Ordnung und materialer Mächtigkeit.

In einer 1942 erstellten Statistik aller bis dahin von Wilhelm Furtwängler dirigierten Orchesterwerke lag Beethovens Fünfte mit 148 Aufführungen an der Spitze. Auf den weiteren Plätzen: Die Siebte (130-mal), Strauss' «Till Eulenspiegel» (120-mal), Brahms «Erste» (117-mal), Wagners «Meistersinger»-Vorspiel (116-mal). Die *Eroica* folgt mit 88 Aufführungen erst an sechster Stelle.

Der Weg von der Dritten zur Fünften mag durch einen Verlust an Differenziertheit gekennzeichnet sein, jedenfalls bedeutet er einen Gewinn an Prägnanz. Es ist kein Zufall, dass die c-Moll-Sinfonie gerade im Bewusstsein von Hörern, die klassischer Musik mit gewissem Abstand gegenüberstehen, die Sinfonie der Sinfonien ist. Beethoven kommt ohne alle verbale Programmatik, versteckte Hinweise auf andere Kompositionen und subtile Gedankengänge aus und entwickelt diesmal seine Konzeption des Ideenkunstwerks mit höchster Geradlinigkeit.

Ganz in diesem Sinne ist eine Äußerung Richard Wagners, von Cosima am 14. Juli 1880 in ihr Tagebuch eingetragen: «Richard spricht beim Frühstück von der c-moll Symphonie, sagt, er habe viel über sie nachgedacht, es sei ihm, als ob da Beethoven plötzlich alles vom Musiker hätte ablegen wollen und wie ein großer Volksredner auftreten; in großen Zügen hätte er da gesprochen, gleichsam al fresco gemalt, alles musikalische Detail ausgelassen, was noch z. B. im Finale der *Eroica* so reich vorhanden wäre.»[150]

Nach langwierigen Findungsprozessen – die ersten Skizzen zum Hauptmotiv des ersten Satzes wirken noch geradezu nichtssagend – gelingt es Beethoven in aufregender Weise, das wesentliche thematische Material so zu formen, dass es einerseits einen hohen Grad an Allgemeingültigkeit und gleichsam zeitloser Prägnanz hat, andererseits semantisch gut identifizierbar ist. Das berühmte Eingangsmotiv ist eben nicht nur eine prägnante Folge von vier Tönen, sondern zeichnet unüberhörbar und in jahrhundertealter Tradition den Gestus des Erschreckens. Er findet sich in Bachs «Weihnachtsoratorium» ebenso wie in Schuberts Lied «Der Tod und das Mädchen», in dem es die Drohgebärde des «wilden Knochenmannes» nachzeichnet.

Fünfte Sinfonie, Anfangsgedanke

J. S. Bach: Weihnachtsoratorium, Nr. 149

F. Schubert: Der Tod und das Mädchen, Anfang

Es spielt deshalb kaum eine Rolle, ob der von Schindler überlieferte Ausspruch Beethovens, *So pocht das Schicksal an die Pforte*[151], tatsächlich so gefallen ist oder eher anekdotische Züge trägt: Die ideelle Kernaussage des ersten Satzes ist damit gut getroffen. Schon lange bevor Schindler seine Erinnerungen an Beethoven veröffentlichte, haben Zeitgenossen die Schicksalsthematik aus der Fünften Sinfonie herausgehört.[152]

Mit dem Schicksal hat sich der Komponist einem Thema zugewandt, das seine biographischen Äußerungen durchzieht wie kaum ein zweites. Den schon erwähnten Belegstellen aus der Zeit vor der Fünften Sinfonie sei hier nur eine Tagebucheintragung aus dem Jahr 1816 an die Seite gestellt: *Zeige deine Gewalt, Schicksal! Wir sind nicht Herrn über uns selbst; was beschlossen ist, muß seyn, und so sey es dann.*[153] Möglicherweise handelt es sich um ein Literaturzitat, welches dann einmal mehr belegen würde, welch hohen Rang der Schicksals-Topos im Denken der Zeit einnimmt.

«Es geschehen Schläge an der Tür», lautet eine Szenenbemerkung in «Wallensteins Tod». «Schicksalsschläge» nennt sie der Literaturwissenschaftler Alfons Glück: Das Pochen des Unglücksboten leitet die Peripetie des Schiller'schen Dramas ein; es «geschieht» etwas mit Wallenstein, das ihn in die Katastrophe zwingt. Einmal, in seiner Musik zu August von Kotzebues Festspiel «Die Ruinen von Athen» op. 113, hat Beethoven selbst dramatische Dichtung vertont, die den Schicksals-Topos aufgreift: «Was, mit dem Schicksal kämpfend, große Seelen litten, das hat Melpomene uns warnend aufgestellt.»

Der Kampf einer großen Seele mit dem Schicksal – das könnte durchaus die Botschaft des ersten Satzes der Fünften sein. Es gibt in ihm zwei gleichsam extraterritoriale Wahrzeichen, die jeweils von einer Fermate abgeschlossen werden und der Satzstruktur als transmusikalischer Horizont vorgegeben sind; sie treten an entscheidenden Stellen fast wie handelnde Personen auf – das erste von ihnen, das «Schicksals»-Motiv, des öfteren und mit zunehmend bedrohlichen Zügen, das zweite, *Adagio* überschrieben, nur ein einziges Mal, in den ersten Takten der Reprise:

Fünfte Sinfonie, Oboen-«Seufzer» aus der Reprise des 1. Satzes

Es ist der Oboe zugewiesen, die traditionsgemäß die «vox humana» unter den Instrumenten ist. Diese artikuliert einen Seufzer, der nicht anders verstanden werden kann als der schwache, aber unüberhörbare Einspruch der Seele – nicht zufällig in den ersten Takten der Reprise, mit deren Eintritt der Satz nach traditioneller Erwartung «ohne weitere Vorkommnisse» zu Ende gehen sollte. Dieser Einspruch verdeutlicht, dass die Macht des «Schicksals», wie sie sich in der Unerbittlichkeit des im wesentlichen aus der Energie des Klopfmotivs gespeisten motivisch-thematischen Prozesses widerspiegelt, nicht vollständig unangefochten dasteht. Zwar bleibt er schwach; indessen wird das Ringen weitergehen. Ein Resultat kann es erst am Ende der Sinfonie geben.

Der zweite Satz macht deutlich, dass die Vorstellung eines unerbittlichen Schicksals, so dräuend auch der Rhythmus des Klopfmotivs noch im Untergrund vernehmbar ist, ihre Allgemeingültigkeit zu verlieren beginnt. Es erklingt ein «Hoffnungsgesang»[154], zunächst lied- und naturhaft, dann in energischem Fanfarengestus. Doch der Sieg muss erst noch errungen werden. Der tastende, fast improvisiert wirkende Übergang vom Scherzo zum Finale, von Beethoven erst in einem späten Stadium der Komposition gefunden und nach einem Bonmot Louis Spohrs das einzig Geniale an der Sinfonie, bereitet die Vorstellung des Durch-Nacht-zum-Licht vor: Auf dem Höhepunkt einer grandiosen Steigerung auf dem Dominantseptakkord erscheint, wie das Licht am Ende des Tunnels, der Siegesmarsch: Die Anfechtungen der Einzelseele gegenüber dem Schicksal sind in dem großen Triumphgesang der Menge aufgehoben.

Fünfte Sinfonie, Hauptgedanke des Finales

Wie das Klopfmotiv des ersten Satzes besitzt auch das hymnische Finalthema einerseits einen hohen Grad an Universalität, andererseits historisches Profil: Nicht nur im allgemeinen Gestus, sondern auch in Details beschwört es die offizielle Musik der Französischen Revolution. Das später auftauchende Motiv

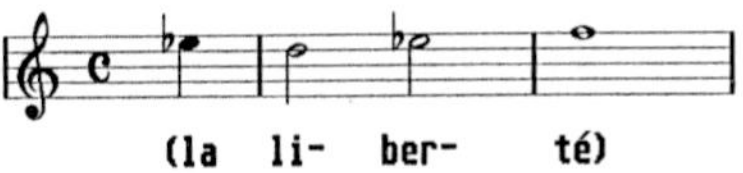

Fünfte Sinfonie, Nebengedanke des Finales

lässt an die «Hymne dithyrambique» von Rouget de Lisle denken: Dort erklingt zu diesen Tönen der Ruf «la liberté», der sich auch dem Beethoven'schen Motiv unterlegen lässt.[155] Damit ist die Idee des sich von seinem Schicksal befreienden Individuums kein Abstraktum: Sie verbindet sich für Beethoven, wie allgemein auch immer, mit Fortschrittsgedanken, die in der Tradition der Aufklärung, der Französischen Revolution und des Bonapartismus stehen.

Die Beethoven'sche Ideenkunst bringt leitende Vorstellungen seiner Zeit – hier vor allem diejenigen von Schicksal und Freiheit – in einen philosophisch und kompositorisch einmaligen Zusammenhang. Sie sind als solche identifizierbar, jedoch nicht auf vordergründige Weise abrufbar; die musikalische Kunst ermöglicht und fordert Kommunikation und Diskurs sui generis.

Unübersehbar ist der moralische Aspekt. Beethoven bewältigt seine Existenz in und mit seinem Werk. Er mag – gerade in der Fünften – von Schiller geleitet worden sein, welcher in seiner Abhandlung «Ueber das Pathetische» schreibt: «Das erste Gesetz der tragischen Kunst war Darstellung der leidenden Natur. Das zweyte ist Darstellung des moralischen Widerstandes gegen das Leiden.»[156]

«Freiheit» und «Natur» sind zwei große Ideen, die in der Tradition der Aufklärung und Französischen Revolution oftmals in einem Atem genannt werden. 1796 bis 1799 wurde im Mont-Blanc-Massiv der berühmte Pavillon auf dem Montanvert errichtet, der ursprünglich die Inschrift tragen sollte: «À la nature par un ami de la liberté»[157]. In der emphatischen Hinwendung zur Natur erlebt der Mensch seinen Ursprung jenseits aller Entfremdung; die zugleich erhabenen und erquickenden Züge, welche ein Schöpferwille der Natur verliehen hat, lassen ihn aufatmen und die richtige Haltung zu sich und der Welt finden.

Vor diesem Hintergrund ist die *Pastorale*, sosehr sie sich im Charakter von der fast gleichzeitig entstandenen Fünften unterscheidet, deren wahre Schwester. In beiden Fällen geht es um Rettung: Doch das eine Mal ist sie der Lohn nach hartem Kampf, das andere Mal reines Geschenk. Demgemäß lässt sich das Finale der Fünften als eine zeremonielle Siegesfeier, das der Sechsten als Dank an die Gottheit verstehen. Wer glaubt, Beethoven habe in der Fünften definitiv seinen – den heroischen – Ton gefunden, wird in der Sechsten eines Besseren belehrt: Der Komponist vermag auch der Darstellung friedvoller Natur musikalisches Leben einzuhauchen. Man bewundert seine Fähigkeit, von Anbeginn des Werks an vollkommen entspannt zu musizieren, nachdem er in der Fünften bei der Durchsetzung des thematischen Prozesses angestrengt «gearbeitet» hatte.

Wie in der Fünften gibt es zu Beginn ein durch die Fermate vom nachfolgenden sinfonischen Geschehen abgehobenes, extraterritoriales Motto. Es ist jedoch nicht drängend oder bedrohlich, sondern beschaulich – eine Hirtenmelodie über einer Dudelsackquinte, die deutlich an ländliche Weisen aus dem Donauraum erinnert:

Sechste Sinfonie («Pastorale»), Anfang

Im weiteren Verlauf dieses Satzes, der die Überschrift *Erwachen heiterer Empfindungen bei der Ankunft auf dem Lande* trägt, erlaubt es sich Beethoven, einen Abschnitt von 46 Takten einfach zu wiederholen: Natur arbeitet nicht, sie verströmt sich. Die Durchführung ist beherrscht von einer aus dem Eingangsmotto gewonnenen rhythmischen Spielfigur, die in unveränderter Gestalt zweiunddreißigmal erklingt, freilich in unterschiedlicher harmonischer Schattierung und Orchestrierung.

Das Werk steht im Blick auf Tonart und Gestus in der Tradition der musikalischen Pastoralen, wie sie sich u. a. in Corellis «Concerti grossi», Bachs «Weihnachtsoratorium», Händels «Messias» und Haydns «Jahreszeiten» finden. Konkret auf Beethoven weist eine Sinfonie voraus, die der damals in Biberach als Lehrer und Musiker wirkende Justin Heinrich Knecht im Jahre 1784 unter dem Titel «Le Portrait musical de la nature» komponierte: Sie verheißt die Darstellung von schöner Landschaft, Bächen, singenden Vögeln, Gewitter, klarem Himmel und Dankgebet.

Geistes- und kunstgeschichtlich gesehen, steht die *Pastorale* dem Genre der im Goethe-Zeitalter hoch geschätzten Idylle nahe, welche nach Schiller den «Zweck» hat, «den Menschen im Stand der Unschuld, d. h. in einem Zustand der Harmonie und des Friedens mit sich selbst und von außen darzustellen»[158]. Zugleich nähert sich Beethoven dem von Rousseau bestimmten, religiös-emphatischen Naturverständnis Hölderlins. In dessen «Rheinhymne» stehen Zeilen, die wie ein Verweis auf den zweiten Satz der *Pastorale*, die *Szene am Bach*, wirken:

«Dann scheint ihm oft das Beste,
Fast ganz vergessen da,
Wo der Stral nicht brennt,
Im Schatten des Walds
Am Bielersee in frischer Grüne zu seyn,
Und sorglosarm an Tönen,
Anfängern gleich, bei Nachtigallen zu lernen.»[159]

Seite aus der Partitur der Sechsten Sinfonie («Pastorale»). Am unteren Rand schreibt Beethoven: «Nb: schreiben sie das Wort Nachtigall, Wachtel, Kuckuk in die erste Flöte, in die erste Oboe, in die erste und zweite Clarinett, grade wie hier in der Partitur –»

Auch Beethoven will – in ideellem Sinn – «bei Nachtigallen lernen», und dies bereitet ihm augenscheinlich so viel Vergnügen, dass er noch in der endgültigen Partitur die Namen der Vögel, die am Ende des Satzes zu hören sind – Nachtigall, Wachtel und Kuckuck –, im einzelnen in den Stimmen derjenigen Bläser notiert, von denen sie ‹dargestellt› werden. Das ist direkte Nachahmung der Natur; und auch die von Klarinette und Horn eingeführte Hirtenweise zu Beginn des letzten Satzes stimmt in den ersten Takten notengetreu mit einer von H. Szadrowsky 1855 aufgezeichneten «Alphornweise von der Rigi» überein. Die realistische Geräuschhaftigkeit des Gewitters ist geradezu zukunftsweisend: Beethoven erreicht sie durch den Kunstgriff, eine sich wiederholende schnelle Aufwärtsbewegung in Celli und Bässen zwar jeweils auf dem gleichen Ton beginnen, jedoch die Bässe Sechzehntel, die Celli Sechzehntel-Quintolen spielen zu lassen: Getrennt sind beide Stimmen nicht zu verfolgen; sie verschmelzen zu einem dumpfen Schwirren.

Natur kann stets nur als reale beschworen werden. Denn die *Glückseligkeit*, die das Landleben hervorruft[160], liegt ja gerade darin, dass sie kein Hirngespinst, keine bloße Idee ist, sondern beglückende Wirklichkeit. Was die Vögel singen und die Bauernkapelle musiziert, erquickt, wie es ist: Es muss nicht bearbeitet oder sublimiert werden. Allerdings legte Beethoven offensichtlich Wert darauf, dass die malenden und realistischen Züge der *Pastorale* nicht überbewertet und von den Hörern als der eigentliche Reiz der Sinfonie angesehen würden. Jedenfalls notierte er sich in Skizzen und Partiturniederschriften wiederholt erläuternde Worte, die sich in der Fassung *mehr Ausdruck der Empfindung als Mahlerey* auch auf dem Programmzettel der ersten Aufführung finden und verdeutlichen sollen, dass es zwar einerseits um durchaus konkrete *Erinnerungen an das Landleben* geht, andererseits jedoch um die künstlerische Vermittlung der im «Heiligenstädter Testament» festgehaltenen Erfahrung, dass allein *im Tempel der Natur* der *wahren Freude inniger Widerhall* erfahrbar sei. Die bis heute geführte musikästhetische Diskussion, ob so viel «Pro-

Der Schmadribachfall.
Gemälde von Joseph Anton Koch, 1811

gramm» wie in der Sechsten erlaubt sei, ist pharisäisch und unproduktiv. Ein Blick auf das berühmte, in derselben Zeit entstandene Gemälde «Der Schmadribachfall» des gleich Beethoven in der Tradition von Aufklärung und Französischer Revolution schaffenden Malers Joseph Anton Koch zeigt eindrucksvoll, wie sich annähernd naturgetreue Malweise, formale Strenge der Gestaltung und idealistische Überhöhung des Bildinhalts trefflich miteinander vereinen lassen – sofern ein großer Kopf sich daran versucht.

Eroica, Fünfte und Sechste sind bedeutende Beispiele dafür, dass eine Sinfonie vom ersten bis zum letzten Satz von ein- und derselben motivischen Substanz zusammengehalten, ja geradezu gespeist werden kann. Zugleich lässt sich die ihnen jeweils zugrunde liegende Idee plausibel benennen: der prometheische Gedanke, der Sieg über Schicksalsmächte, die Erquickung in der Natur. Für die Trias der letzten Sinfonien lassen sich keine so eindeutigen Zuordnungen treffen. Schon die Chronologie legt die Vermutung nahe, dass Beethoven nach Abschluss der Fünften und Sechsten nicht mehr mit gleicher Selbstverständlichkeit an das Komponieren von Sinfonien herangegangen ist: Hatte er die ersten sechs Sinfonien der Öffentlichkeit innerhalb von acht Jahren vorgelegt, so vergehen bis zur Aufführung der Siebten und Achten weitere fünf Jahre; danach folgt eine Pause von neun Jahren bis zur letzten vollendeten Sinfonie.

Beethovens Umorientierung lässt sich an den Finali ablesen, in denen er nicht länger ungebrochen den Sieg des Wahren, Schönen und Guten verkünden kann und mag. Das Finale der Siebten veranlasste den einstmals hoch angesehenen Musikforscher Hermann Kretzschmar in seinem «Führer durch den Konzertsaal» zu der nahezu entrüsteten Bemerkung: «Wir stehen hier ganz in der Nähe des Maßlosen und tun gut, im Interesse unserer Jugend zu bemerken und zu bekennen, daß Beethoven zuweilen geneigt war, seine Intentionen mit übermütiger Hartnäckigkeit auf die Spitze zu treiben.»[161]

Im Blick auf den Schlusssatz der Achten spricht Carl Dahlhaus von einer eher «humoristischen Demonstration der Unmöglichkeit einer Lösung»[162]. Das in ein dreifaches Piano derb hineinfahrende cis in Takt 17 / 18 ist als «Schreckensnote» geradezu sprichwörtlich geworden; Louis Spohr empfand es so, als ob einem jemand mitten im Gespräch die Zunge herausstrecke.[163] Im Chorfinale der Neunten, von der noch die Rede sein wird, geht Beethoven vollends neue Wege.

Siebte und Achte müssen gleichwohl nicht ohne Deutung bleiben. Die Erstere hat Richard Wagner als «Apotheose des Tanzes» bezeichnet: «Aller Ungestüm, alles Sehnen und Toben des Herzens wird hier zum wonnigen Übermuthe der Freude, die mit bacchantischer Allmacht uns durch alle Räume der Natur, durch alle Ströme und Meere des Lebens hinreißt, jauchzend selbstbewußt überall, wohin wir im kühnen Takte dieses menschlichen Sphärentanzes treten.»[164] Dem Impuls des Tanzens geht Beethoven konsequent nach: Im ersten Satz ist es die tänzelnde Bewegung einer Tarantella, im zweiten das gemessene Schreiten eines Wallfahrtszuges.[165] Im Scherzo versteht sich das tänzerische Moment von selbst; im Finale endlich zeigen sich die beschriebenen orgiastischen Momente. Freilich sollte man nicht die Diszipliniertheit des fanfarenhaften Nebengedankens und die militärische Straffheit der an François Joseph Gossecs Revolutionsmarsch «Le Triomphe de la République» erinnernden punktierten Rhythmen überhören.

Siebte Sinfonie, Hauptgedanke des Finales

Die Achte lässt sich nicht nur wegen ihres Finales als eine Art satirischer Abgesang auf die Gattung Sinfonie deuten. Bereits der erste Satz ist ein Unding: Sein Kopfthema setzt sich, anders als in den übrigen Sinfonien, von vornherein als kompakte ‹klassische› zwölftaktige Periode in Szene, was die Frage aufwirft, wie der Komponist angesichts eines so geschlossenen Gebildes überhaupt noch Gedanken entfalten und Widersprüche bearbeiten konnte. In der Tat mangelt es an konsequenter Entwicklung; stattdessen ist auf engem Raum in jähem Wechsel der Erlebnisebenen alles ‹angesprochen›: Liebliches, Verhaltenes, Leidenschaftliches, Wildes, Feierliches.

Als eine wichtige Vorlage des an zweiter Stelle der Sinfonie stehenden *Allegretto scherzando* glaubte man lange Zeit den so genannten Mälzel-Kanon WoO 162 nachweisen zu können; diesen habe Beethoven im Frühjahr 1812 bei einem geselligen Abschiedsmahl auf die Worte «Ta ta ta ta ta … lieber Mälzel, leben Sie wohl, sehr wohl! Banner der Zeit, großer Metronom» komponiert. Inzwischen geht die Beethoven-Forschung davon aus, dass es zu dem angegebenen Zeitpunkt eine Abschiedsrunde in der von Schindler geschilderten Form nicht gegeben haben kann, dass Mälzel seine Erfindung damals unter dem Namen «Metronom» der Öffentlichkeit noch gar nicht präsentiert hat, ja dass nicht einmal der Kanon als solcher von Beethoven stammt.

Indessen könnte Beethoven bei der Komposition des *Allegretto scherzando* an eines der vielen mechanischen Musikinstrumente gedacht haben, für die Mälzel seit längerem berühmt war und die er in seinem Wiener Kunstkabinett ausstellte. Freilich bildet der Satz kein gleichmäßig ablaufendes Spielwerk ab, wie man nach dem Hören der ersten Takte noch meinen könnte. Es ist vielmehr eine Mechanik mit Tücken: ‹Melodie› und ‹Begleitung› sind weder homogen in sich, noch passen sie zueinander. Es gibt Überlappungen, Dehnungen, Stauungen, Verzerrungen. Schließlich scheint der Apparat entzweizugehen, um ganz am Ende – wie durch das sprichwörtlich gewordene «Draufhauen, damit's wieder läuft» – noch einmal kurz in eine gespenstische, selbstläufige Geschäftigkeit zu geraten.

Schon zu Lebzeiten Beethovens wurde lebhaft diskutiert, ob seine Metronom-Angaben ernst zu nehmen seien. Bis heute wird dies immer wieder vehement bezweifelt, und man redet sich damit heraus, dass Beethoven es mit defekten Metronomen zu tun gehabt habe. Nachdem schon Arnold Schönberg und seine Schüler sich für Beethovens originale Metronom-Angaben eingesetzt hatten, brachte der 1939 nach England emigrierte Pianist und Musikschriftsteller Peter Stadlen interessante experimentelle Belege dafür, das Beethovens Metronomisierungen in den meisten Fällen durchaus ernst zu nehmen seien. Das aber bedeutet: oftmals weit raschere Tempi als gewohnt.

Wie dieser, so ist auch der nachfolgende, mit *Tempo di Menuetto* überschriebene Satz alles andere als schulgerecht: Man meint ein Ensemble zu hören, das Schwierigkeiten mit dem geordneten Zusammenspiel hat. Erst treten Trompeten und

Pauken zu früh auf; dann setzt die erste Violine mit Verzögerung ein, schließlich verspäten sich die Pauken um zwei Zählzeiten und rufen dadurch weitere Verunsicherung hervor. Das mag lustig gemeint sein, wie die Bauernmusik im dritten Satz der *Pastorale*, zeugt jedoch von einigem Ingrimm.

Bezieht man das schon erwähnte Finale in das Gesamtbild ein, so verstärkt sich der Eindruck, Beethoven gebe in der Achten Sinfonie grundsätzlicher Skepsis gegenüber dem eigenen idealistischen Höhenflug Raum. Das Ganze ist kein harmloser Spaß, sondern Ausdruck romantischer Ironie: Der Komponist scheint alles in seine Bestandteile zu zerlegen und falsch wieder zusammenzusetzen, auf dass man nicht Würde und Größe des idealen Ziels, sondern Unzulänglichkeit, ja Erbärmlichkeit des Materials vor Augen habe, mit der dieses Ziel – vergeblich? – erreicht werden sollte.

Nicht von ungefähr haben die Zeitgenossen Beethoven ihren musikalischen Jean Paul genannt.[166] «Vernichtender Humor» ist für Jean Paul «Ausdruck der Welt-Verachtung», er erzeugt «jenes Lachen, worin noch ein Schmerz und eine Größe ist»[167]. Die in Humor verkleidete Verzweiflung über «diese absurde Welt», von der Bettine von Arnim den Komponisten im Brief vom 11. August 1810 reden lässt, ist das Einzige, das den hochfliegenden Idealismus zumindest als Anspruch am Leben hält.

«Muß es sein? – Es muß sein!» Jahre der Vereinsamung. Konzentration auf das Spätwerk (1816–1827)

Blickt man auf Beethovens öffentliches Ansehen, so erscheint es berechtigt, den «heroischen» Abschnitt seines Lebens bis zum Wiener Kongress währen zu lassen. Die mit ihm verbundenen äußeren Erfolge können freilich nicht darüber hinwegtäuschen, dass sich die Tendenz zur Vereinsamung in Beethovens Leben bereits seit etwa 1812 merklich verstärkt. In wenigen Jahren verliert er drei alte Gönner, die ihm zwei Jahrzehnte zuvor die Wege in die Wiener Adelsgesellschaft geebnet und beständig über sein schroffes Wesen hinweggesehen haben: 1812 stirbt Fürst Kinsky, 1814 Fürst Lichnowsky, 1816 Fürst Lobkowitz. Zwar tritt statt ihrer verstärkt Erzherzog Rudolph in den Vordergrund, dessen Inthronisation als Erzbischof von Olmütz im Jahre 1820 Beethoven zur Komposition der *Missa solemnis* anregt; indessen ist Rudolph bei allem Einfluss, den er als Mitglied des Kaiserhauses hat, keine Person, die einem Künstler neue Perspektiven eröffnet.

Der gesellschaftliche und freundschaftliche Kontakt mit Damen des Adels verliert an Selbstverständlichkeit. Eine wichtige Vertrauensperson bleibt Therese von Brunsvik, mit der Beethoven in den Jahren um 1816 vielerlei Lektüre geteilt haben könnte[168], möglicherweise haben beide Rousseaus «Julie oder die neue Héloïse» gelesen – jenen Briefroman, der die Verwandlung sinnlicher Leidenschaft in Seelenfreundschaft schildert und insofern in Beethovens eigene Lebenssituation hineinspricht. Denn nachdem die Begegnung mit der *Unsterblichen Geliebten* im Juli 1812 augenscheinlich keine Glücksperspektive hat eröffnen können, begibt sich Beethoven immer mehr auf den Weg der Entsagung. Das im Herbst dieses Jahres

Beethoven im Jahr 1815.
Gemälde von Joseph Willibrord Mähler

begonnene, bereits genannte Tagebuch macht diese Tendenz schon durch die erste Eintragung deutlich. War in der erwähnten Niederschrift von 1807 noch Raum für den Seufzer gewesen: *Nur liebe – ja nur Sie vermag dir ein Glücklicheres leben zu geben*, heißt es nunmehr kompromisslos: *Ergebenheit, innigste Ergebenheit in dein Schicksal, nur diese kann dir die Opfer – – – zu dem Dienstgeschäft geben – o harter Kampf! [...] Du darfst nicht Mensch seyn, für dich nicht, nur für andre; für dich gibts kein Glück mehr als in dir selbst in deiner Kunst – o Gott! gib mir Kraft, mich zu besiegen, mich darf ja nichts an das Leben fesseln.*[169]

Neben manchem Alltäglichen finden sich in dem von Maynard Solomon so genannten «journal intime» viele Abschriften oder frei formulierte Auszüge aus Schriften, in denen der Schreiber Trost und Anregung sucht. Ausführlich erwähnt sind der «Rigweda» und andere Zeugnisse indischer oder ägyptischer Weisheit, die beiden großen Epen Homers, die «Biographien» des Plutarch, die «Betrachtungen über die Werke Gottes im Reiche der Natur» von Christoph Christian Sturm (zeitweilig Beethovens tägliche Lektüre) sowie Werke von Kant, Herder und Schiller und die damals in Wien viel aufgeführten «Schicksalstragödien» von Zacharias Werner und Adolf Müllner.

Die Zitate aus den genannten, zum guten Teil in Beethovens Bibliothek nachweisbaren und mit Unterstreichungen versehenen Schriften lassen sich durch Eintragungen in den Konversationsheften ergänzen. Aus dem Jahr 1820 stammen die berühmten Äußerungen *Socrates u. Jesus waren mir Muster* sowie *Das Moralische Gesez in unß, u. der gestirnte Him̄el über unß! Kant!!!*[170], wobei Sokrates für den sittlichen Ernst der antiken Philosophie, Jesus für die christliche Lehre von Liebe und Brüderlichkeit, Kant für den Vernunftglauben der Aufklärung stehen dürften. Aus demselben Jahr überliefern die Konversationshefte ein Gespräch mit dem Literaten Friedrich August Kanne über Platons Staatsidee, die Beethoven ja schon seit *Eroica*-Zeiten fesselt; 1826 unterhält er sich mit dem Geiger Carl Holz über die drei großen griechischen Dramatiker Aischylos, Sophokles und Euripides.

Mit zunehmender Intensität ringt der alternde Beethoven um Möglichkeiten der Erkenntnis Gottes: Dieser ist – so lehrt es die Weisheit des Orients – im Mysterium erfahrbar; er hinterlässt aber auch – das besagt die natürliche Theologie des Okzidents – in den Wundern der Schöpfung seine Spuren. An den entsprechenden Themen ist Beethoven nicht nur spirituell, sondern auch wissenschaftlich interessiert; so macht er Auszüge aus Johann Friedrich Kleukers «Brahmanischem Religionssystem» von 1797. Mehrfach übernimmt er Abschnitte aus Kants «Allgemeiner Naturgeschichte und Theorie des Himmels» von 1755, und zwar in auffälliger Weise vor allem die gesperrt gedruckten – als ob Kant für ihn eine Autorität darstelle, von der zu lernen schon an sich lohne. Ihn interessieren die Gesetzmäßigkeiten des Laufes der Planeten, aber auch Theorien über deren stoffliche Beschaffenheit, Bewohner, Tier- und Pflanzenwelt.

Als eine für ihn offenbar zentrale Äußerung Kants notiert er sich: *Nicht der ohngefähre Zusammenlauf der Atomen des Lucrez [Beethoven schreibt versehentlich und doch sehr bezeichnend: ‹des Akkords› anstatt ‹des Lukrez›] hat die Welt gebildet; eingepflanzte Kräfte und Gesetze, die den weisesten Verstand zur Quelle haben, sind ein unwandelbarer Ursprung derjenigen Ordnung gewesen, die aus ihnen nicht von ohngefähr, sondern notwendig abfließen mußte. […] Wenn in der Verfassung der Welt Ordnung und Schönheit hervorleuchten [Beethoven schreibt ‹Wetterleuchten›], so ist ein Gott.*[171]

Auf einer Rasenbank sitzend, erklärt Beethoven dem Harfenisten Johann Andreas Stumpff während eines gemeinsamen Ausflugs ins Helenental im Jahr 1824: *Hier, von diesen Naturprodukten umgeben, sitze ich oft stundenlang, und meine Sinne schwelgen in dem Anblick der empfangenden und gebärenden Kinder der Natur. Hier verhüllt mir die majestätische Sonne kein von Menschenhänden gemachtes Dreckdach, der blaue Himmel ist hier mein sublimes Dach. Wenn ich am Abend den Himmel staunend betrachte und das Heer der ewig in seinen Grenzen sich schwingenden Lichtkörper, Sonnen oder Erden genannt, dann schwingt sich mein Geist über diese soviel Millionen Meilen entfernten Gestirne hin zur Urquelle, aus welcher alles Erschaffene strömt und aus welcher ewig neue Schöpfungen entströmen werden. Wenn ich dann und wann versuche, meinen aufgeregten Gefühlen in Tönen eine Form zu geben – ach, dann finde ich mich schrecklich getäuscht: ich werfe mein besudeltes Blatt auf die Erde und fühle mich fest überzeugt, daß kein Erdgeborener je die himmlischen Bilder, die seiner aufgeregten Phantasie in glücklicher Stunde vorschwebten, durch Töne, Worte, Farbe oder Meißel darzustellen imstande sein wird.*[172]

Was im Tagebuch und in den Konversationsheften als Gedankengut Beethovens dokumentiert ist, stellt keineswegs eine Feierabendphilosophie dar, spiegelt vielmehr seine Welt, die ja – für einen fast Ertaubten nicht unverständlich – in hohem Maß eine Welt des Geistes und der Ideen ist. Wie viel diese Ideen mit seiner künstlerischen Praxis zu tun haben, zeigt sich an der Tatsache, dass sie gelegentlich unmittelbar – also nicht erst im Zuge langwieriger Klärungsprozesse – in Musik gesetzt werden. Das gilt zum Beispiel für das *Abendlied unterm gestirnten Himmel* WoO 150, das 1820 als Musikbeilage zur «Wiener Zeitschrift für Kunst, Literatur, Theater und Mode» erscheint: Wenige Wochen zuvor hat Beethoven in diesem Blatt «Kosmologische Betrachtungen» des Wiener Sternwartendirektors Joseph Littrow lesen können. Deren Lektüre schlägt sich nicht allein in einer Hinwendung zu Kant nieder, dessen Satz vom «gestirnten Himmel» er in den Konversationsheften nach Littrows Aufsatz zitiert, sondern auch in dem genannten Lied, das er der Redaktion offenbar spontan einsendet.

Mit solchen Geistestätigkeiten will Beethoven nicht nur seinem alten Ziel näher kommen, *den Sinn der Besseren und Weisen jedes Zeitalters fassen,* sondern auch sein persönliches Schicksal bewältigen: Das «alte» Thema – der Konflikt zwischen kreatürlichen und geselligen Neigungen einerseits und künstlerischem Auftrag andererseits – bedarf immer neuer Bearbeitung. War jedoch die stoische Entscheidung zugunsten der eigenen Sendung in jüngeren Jahren eine – dem eigenen Selbstverständnis nach – freiwillige, so bedeutet sie nunmehr die verzweifelt entschlossene Bejahung einer Existenzform, die anders kaum mehr denkbar ist.

Ergebenheit in sein Schicksal gelingt Beethoven freilich keineswegs problemlos. Vieles deutet darauf hin, dass der innere Abschied von der *Unsterblichen Geliebten* noch längst nicht gelungen ist. Im September 1816 notiert Fanny Giannatasio, von der noch die Rede sein wird, Äußerungen Beethovens, die fast eindeutig in diese Richtung weisen: «Seit 5 Jahren hatte er eine Person kennen gelernt, mit welcher sich näher zu verbinden, er für das höchste Glück seines Lebens gehalten hätte. Es sei nicht daran zu denken, fast Unmöglichkeit, eine Chimäre.

Dennoch ist es jetzt wie den ersten Tag. Ich hab's noch nicht aus dem Gemüth bringen können, waren die Worte.»[173] An Ferdinand Ries schreibt er am 8. Mai desselben Jahres, nachdem er um Grüße an dessen Frau gebeten hat: *Leider habe ich keine, ich fand nur eine, die ich wohl nie besitzen werde.*[174]

Die Zeit nach dem Verzichtjahr 1812 sieht Beethoven zudem in leiblicher Not und materieller Bedrängnis. An Joseph von Varena schreibt er Anfang 1813: *Meine Gesundheit ist nicht die beste und unverschuldet ist eben meine sonstige Lage wohl die Ungünstige meines Lebens.*[175] Wenig später muss er vorübergehend *einen unglücklichen kranken Bruder sammt seiner Familie*[176], nämlich Kaspar Karl, unterstützen, obwohl nach dem Tod des Fürsten Kinsky seine Renteneinkünfte gefährdet sind. Dass sich die finanzielle Situation gerade damals als besonders schlecht darstellt, vermag Thayer allerdings nur mit einem «sehr großen Mangel an vernünftiger Disposition über die eingehenden Gelder» zu erklären.[177]

Den Zustand von Garderobe und Wäsche bezeichnet Nanette Streicher, die sich auch später um seine häuslichen Angelegenheiten kümmern wird, als verwahrlost: «Er hatte nicht nur keinen guten Rock, auch kein ganzes Hemd.»[178] Maynard Solomon vermutet, dass ein Selbstmordversuch, von dem in der frühen Beethovenliteratur des öfteren, jedoch in unspezifischer Weise die Rede ist, in die Zeit um 1813 zu datieren ist.[179] Er glaubt auch Anhaltspunkte für die Annahme zu haben, dass Beethoven damals Dirnen besucht und seine Schuldgefühle in einer Tagebuchnotiz wie der folgenden ausgedrückt habe: *Sinnlicher Genuß ohne Vereinigung der Seelen ist und bleibt viehisch, nach selben hat man keine Spur einer edlen Empfindung, vielmehr Reue.*[180]

Nachdem Beethoven in den Jahren 1804 bis 1814 mit einer gewissen Regelmäßigkeit im Haus des Baron Pasqualati logiert hatte, wechselt er fortan die Wohnungen oft binnen Jahresfrist. Dessen ungeachtet fasst er immer wieder Vorsätze zu einer ordentlichen Haushaltung. Um dem Neffen Karl, den er Anfang 1818 zu sich genommen hat, das Gefühl häuslicher Geborgenheit zu vermitteln, beschäftigt er zeitweilig Haushälterin,

Eine Seite aus Beethovens Haushaltsbuch: Eintragungen der Haushälterin in zweifelhafter Orthographie; wütende Durchstreichungen und verzweifelte Versuche Beethovens, die angegebenen Beträge nachzurechnen.

Mädchen und Hauslehrer. Doch in der Regel bleibt es bei dem guten Willen. Haushälterinnen, Küchen- und Stubenmädchen wechseln meist in rascher Folge; manchmal wird ihnen binnen einer Woche aufgesagt, oft flüchten sie ihrerseits vor den Launen und Unberechenbarkeiten ihres Dienstherrn. Es ist ebenso charakteristisch wie tragikomisch, dass Beethoven sich in einem Konversationsheft von 1820 eine Neuerscheinung aus dem Küchenfach notiert: *Siegel, M. Kath. Bayersches Kochbuch 3 fl: 34 kr: w. w. [=Wiener Währung] Regenspurg Brosch. in der Tendler'schen Buchhandlung am graben [im] Trattenerschen Gebaüde.*[181]

Der folgende, ungekürzt mitgeteilte Auszug aus demselben Konversationsheft spiegelt typischen Alltag:

Spahr Glanzwichs In der wiplingerstraße neben der wasserdichten Huthandlung.

Machai's Neue Erfindung eines gegen das Durchgehen der Pferde gesicherten Wagens in Pesth in der Kilian'schen Buchhandlung. Druckpapier 2 fl: w. w.

dass du einen advo[katen] in Prag gehab[t.] auch daß Karl durch ihr locken zum 2tenmal fort sey

Kerzmann N° 854 [im] Eigenen Hause von der weiburggaße an der Bastey

Eintrag des befreundeten Redakteurs Karl Bernard: «Das Glück muß man versuchen. Nehmen wir es für Ihren Neffen.»

Eintrag des Freundes Franz Oliva: «Die Hauhalterinn kömt Morgen fruh»

Eintrag eines Unbekannten: «heute haben wir die Symphonia Eroica bewundert. gut gegeben, doch die Violinen zu schwach. nicht für das allegro»

Eintrag eines Unbekannten: «Präadamiten. – Warum sind Sie nicht zu [dem Beethoven damals porträtierenden] Stieler gekom̄en? – Der Ruster [Wein] um 3 Gulden ist besser. – Er ist Wirthschaftsrath geworden. – wie allen Oestereicher? – Er hat überall intriguirt – Specht.»

Eintrag Bernards: «Sie sind bloße Genußmenschen.»

leinwand 3 Ehlen – Schreibpapie[r] – Kerzen wachskerz[en] u. halbwachsk[erzen] – Schlem̄er violine besaiten – lamsfell – Wasserkunst Bastey No. 1268 u. 1269 links die Stiege Wohnung. – Kaffe schale für die Haußhälter[in] – leintuch – Irdenes Balbier geschirr

Eintrag des Malers Carl Stieler: «Das Bild muß trocknen, wen es trocken ist, werde ich Ihnen schreiben, wenn Sie mir wieder eine Stunde schenken können.»[182]

Die Helfer der letzten Jahre: Anton Schindler. Fotografie aus seinem «zweiten Leben» nach Beethovens Tod

Es wäre falsch, Beethovens Lebenssituation nur nach seinen eigenen häuslichen Verhältnissen beurteilen zu wollen. In seinen ersten zwei Wiener Jahrzehnten ist er immer wieder Haus- oder gar Logiergast befreundeter, meist adeliger Familien; Maynard Solomon nennt in diesem Zusammenhang die Lichnowskys, Brunsviks, Guicciardis, Deyms, Bigots, Erdödys, Malfattis und Brentanos.[183] Seit 1816 übernimmt die Familie des Cajetan Giannatasio del Rio, in dessen Privatschule Beethoven seinen Neffen geschickt hat, für einige Zeit fürsorgliche Funktionen. Der Komponist fühlt sich in der Gesellschaft der Töchter Fanny und Anna – beide im heiratsfähigen Alter und voller Verehrung für den begnadeten Künstler – wie zu Hause, gibt sich einmal aufgeräumt und galant, ein anderes Mal missmutig und unmanierlich. Misstrauen gegenüber Giannatasios Erzie-

Carl Holz. Miniatur von Barbara Fröhlich-Bogner

hungsmethoden lassen die Harmonie jedoch nicht länger als zwei Jahre andauern. Inzwischen hat Beethoven bereits Nanette Streicher, in ihrer Jugend ein pianistisches Wunderkind und nunmehr gemeinsam mit ihrem Gatten Inhaberin einer angesehenen Klavierbau-Firma, um Hilfe in häuslichen Dingen gebeten. Solche wird ihm offensichtlich zuteil, denn im Januar 1818 schreibt Beethoven: *ich bin in so vielen Rücksichten ihr Schuldner, daß ich hiebei oft genug ein beschämendes Gefühl habe.* Im Juni 1818 heißt es sarkastisch: *Ich bitte uns bald etwas Tröstliches wegen der Koch-Wäsch- Näh-Kunst zu schreiben.*[184]

Von Ende 1822 bis Mai 1824 und noch einmal in den letzten vier Monaten vor Beethovens Tod geht Anton Schindler, zuvor zeitweilig Mitarbeiter der von Beethoven konsultierten Anwaltskanzlei Bach und außerdem ein guter Musiker, im Hause aus und ein. Er hilft vor allem in Alltagsdingen, verhandelt mit Handwerkern und Kopisten, übernimmt Botengänge, schreibt Briefe und berät Beethoven beim Abschluss kleiner Verträge. Wie aus den Konversationsheften ersichtlich, ist Schindler auch an Auskünften über Beethovens Werk interessiert. Freilich hat die Forschung vor einigen Jahren aufgedeckt, dass Schindler nach Beethovens Tod eine ganze Reihe seiner eigenen «Äußerungen» nachgetragen hat, um sich bei der Nachwelt als Vertrauter des Meisters auch in künstlerischen Fragen in ein besseres Licht rücken zu können.

In der neueren Beethoven-Forschung gibt es eine Tendenz, Schindler wegen seiner «Sündenfälle» zur Unperson zu machen. Doch das hieße, das Kind mit dem Bade auszuschütten. Auch an vielen anderen Punkten der Beethoven-Biographik fließen Irrtum, Dichtung und Wahrheit fast ununterscheidbar ineinander. Das Skelett, welches von einem Menschen nach seinem Tod dauerhaft übrig bleibt, können wir nur mit Hilfe einer mehr oder weniger tatsachengestützten Phantasie zum Erinnerungsbild vervollständigen. Ähnliches gilt für Beethoven: Außer einem dürftigen Faktengerippe haben wir nur den Mythos Beethoven. Mit diesem gilt es verantwortungsbewusst umzugehen.

Schindlers Beflissenheit und Aufdringlichkeit sind Beethoven schon bald unerträglich; immer wieder beklagt er sich über *diesen niederträchtigen verachtungswürdigen Menschen*[185] – so im Brief an den Bruder Johann vom 19. August 1823. Im Anschluss an die große Akademie im Mai 1824 kommt es dann zum Bruch: Beethoven schreibt seinem selbst ernannten «Geheimsecretär ohne Gehalt»[186] in aller Deutlichkeit, dass er es mit ihm nicht länger aushalte, und weiter: *überhaupt aber habe ich eine gewiße Furcht vor ihnen, daß mir einmal ein Großes Unglück durch Sie bevorsteht*[187]. In der Folgezeit nimmt der Geiger Carl Holz Schindlers Platz ein. Dass Letzterer dann doch noch einmal in Beethovens engste Umgebung zurückkehrt, macht freilich deutlich, dass er nicht ohne weiteres zu ersetzen ist. Nach Beethovens Tod wird sich Schindler als dessen langjähriger Vertrauter ausgeben und ganze Forschergenerationen vor die Frage stellen, wie viel Authentisches unter den von ihm mitgeteilten Äußerungen des Meisters sei.

Eines der Hörrohre, wie es Johann Nepomuk Mälzel für Beethoven herstellte, auf dem Manuskript der «Eroica»

Seinen ersten Eindruck von dem alternden Beethoven anlässlich eines Besuches in Wien im Sommer 1822 fasst Friedrich Rochlitz, Herausgeber der «Allgemeinen Musikalischen Zeitung» und Mitarbeiter von Breitkopf & Härtel, in die Worte: «** stellte uns einander vor. Beethoven schien sich zu freuen, doch er war gestört. Und wär' ich nicht vorbereitet gewesen: Sein Anblick würde auch mich gestört haben. Nicht das vernachlässigte, fast verwilderte Aeußere, nicht das dicke, schwarze Haar, das struppig um seinen Kopf hing, u. dergl., sondern das Ganze seiner Erscheinung. Denke Dir einen Mann von etwa funfzig Jahren, mehr noch kleiner als mittler, aber sehr kräftiger, stämmiger

Statur, gedrängt, besonders von starkem Knochenbau – ungefähr, wie Fichte's, nur fleischiger und besonders von vollerm, runderm Gesicht; rothe, gesunde Farbe; unruhige, leuchtende, ja bei fixirtem Blick fast stechende Augen; keine oder hastige Bewegungen; im Ausdruck des Antlitzes, besonders des geist- und lebensvollen Auges, eine Mischung oder ein, zuweilen augenblicklicher Wechsel von herzlichster Gutmüthigkeit und von Scheu; in der ganzen Haltung jene Spannung, jenes unruhige besorgte Lauschen des Tauben, der sehr lebhaft empfindet; jetzt ein froh und frei hingeworfenes Wort: sogleich wieder ein Versinken in düsteres Schweigen.»[188]

Rochlitz hat seine «Briefe aus Wien» erst einige Jahre später – und nunmehr als literarisches Dokument – veröffentlicht, dürfte jedoch wesentliche Züge Beethovens richtig wiedergegeben haben. Die Erinnerung an schwarzes Haar darf man angesichts der erhaltenen Bildnisse aus dieser Zeit bezweifeln; ungepflegtes Aussehen wird jedoch durch andere Quellen bestätigt. Weil er wie ein Landstreicher ausgesehen und in der Neustadt durch fremde Fenster geschaut habe, soll Beethoven damals sogar einmal von der Polizei festgenommen worden sein.[189]

Immerhin wird Beethoven auch in dieser Zeit in eleganter Toilette gesichtet, so von Friedrich Rochlitz, der ihn bei einer weiteren Begegnung im Juli des Jahres in Baden bei Wien «ganz nett und sauber, ja elegant» antrifft. «Doch hinderte ihn dies nicht (es war ein heißer Tag), bei einem Spaziergange im Helenenthal – und das heißt, auf dem Wege, den Alles, selbst der Kaiser und sein hohes Haus geht, und wo Alle auf meist schmalem Pfade hart an einander vorbei müssen – den feinen schwarzen Frack auszuziehen, ihn am Stocke auf dem Rücken zu tragen und blosarmig zu wandern.»[190]

Im Wirtshaus führt Beethoven nicht eigentlich Gespräche, redet vielmehr «allein, und meistens ziemlich anhaltend, wie auf gut Glück in's Blaue hinaus. Die ihn Umgebenden setzten wenig hinzu, lachten blos oder nickten ihm Beifall zu. Er – philosophirte, politisirte auch wohl in seiner Art. […] Alles das trug er vor in größter Sorglosigkeit und ohne den mindesten Rückhalt; Alles auch gewürzt mit höchst originellen, naiven Urtheilen oder possirlichen Einfällen.»[191] Rochlitz fühlt sich an ein Genie erinnert, das als heranreifender Knabe auf einer Insel ausgesetzt worden ist und als nunmehr erwachsener Mann hinausposaunt, was er sich in der Zwischenzeit erdacht und zurechtphantasiert hat.

Zwei enge Angehörige der letzten Jahre: Der Bruder Nikolaus Johann. Gemälde von Leopold Groß

Man kann über Beethovens persönliche Verhältnisse in den letzten zwölf Lebensjahren nicht berichten, ohne auf einen Komplex einzugehen, demgegenüber alles andere marginal erscheint: die tyrannische Fürsorge für den Neffen. Was an Enttäuschungen im Verhältnis zu Frauen unverarbeitet geblieben sein mag, lebt Beethoven hier in verhängnisvoller Weise aus. Fanny Giannatasio überliefert eine Äußerung Beethovens vom März 1816, nach der «er nie ein heiligeres Band knüpfen würde, als das ist, welches ihn jetzt an seinen Neffen bindet»[192]; damit wählt der Komponist Formulierungen, mit denen Jahre zuvor Josephine Deym ihm selbst zu verdeutlichen versucht hatte, warum

Der Neffe Karl. Anonyme Miniatur

sie ihren Kindern zu stark verpflichtet sei, um auf sein Werben eingehen zu können. Augenscheinlich kennt Beethoven in dieser Zeit keine Hoffnung mehr auf frei erlangtes Glück, sondern nur noch gewaltsame Versuche, in den Besitz eines Liebes- und Fürsorgeobjekts zu kommen.

Der Tod des Bruders Kaspar Karl im November 1815 eröffnet Beethoven die Möglichkeit, zu einer eigenen Familie zu kommen – wenn nötig, mit Gewalt. Maynard Solomon dürfte mit seiner Auffassung, dass es Beethoven nicht nur um den Neffen Karl, sondern latent auch um die Schwägerin Johanna gegangen sei[193], nicht Unrecht haben, auch wenn detaillierte psychoanalytische Deutungen des Sachverhalts gewiss mit Vorsicht aufzunehmen sind. Vor allem anderen will Beethoven liebender Vater sein: besser als alle anderen Väter zuvor, den eigenen eingeschlossen.

Die äußeren Geschehnisse ziehen sich quälend lange hin, lassen sich aber in Kürze berichten: Als Beethoven von der Verfügung seines todkranken Bruders Kaspar Karl erfährt, ihn gemeinsam mit seiner Schwägerin zum Vormund Karls einzusetzen, erzwingt er eine Änderung, derzufolge er alleiniger Vormund wird. Nachdem Kaspar Karl begriffen hat, dass er damit Johanna von der Erziehung des Sohnes ausgeschlossen hat, stellt er in einem ausführlichen Zusatz nachdrücklich klar, er wolle keineswegs, dass Karl «von seiner Mutter entfernt werde»[194]. Das hindert Beethoven indessen nicht, alle Hebel in Bewegung zu setzen, um das Kind von Johanna zu trennen.

Anfang des Jahres 1816 ermächtigt ihn das Landrecht, Karl zu sich zu nehmen. Am 6. Februar schreibt Beethoven an Antonie Brentano: *derweil habe ich gefochten um ein armes unglückliches Kind einer unwürdigen Mutter zu entreißen, und Es ist gelungen – te deum laudamus.*[195] Dem Arzt Karl von Bursy vertraut er an: *Der Knabe muß Künstler werden oder Gelehrter, um ein höheres Leben zu leben und nicht ganz im Gemeinen zu versinken. Nur der Künstler und der freie Gelehrte tragen ihr Glück im Innern.*[196] Am 13. Mai berichtet er der Gräfin Anna Maria Erdödy voller Stolz, er sei nun Vater: *denn so betrachte ich mich nun.*[197] Dass er dem befreundeten Juristen und Musikliebhaber Johann Nepomuk

Kanka mitteilt, *[...] ich bin wirklicher leiblicher vater von meines verstorbenen Bruders Kind*, grenzt schon an Wahn.[198] Mit allem Nachdruck versucht er zu verhindern, dass Mutter und Kind sich auch nur sehen.

Zur rationalen Begründung seiner Grausamkeit zeiht er Johanna mit Ausdauer eines schlechten, zur Kindeserziehung disqualifizierenden Lebenswandels, beschuldigt sie gar der Prostitution. Die Äußerung in einem Konversationsheft von 1820, *Zur Intrigue gebohren, ausgelernt in Betrug, Meisterin in allen Künsten der Verstellung*[199], zählt noch zu den gemäßigten. Ungeachtet aller Hasstiraden gibt es auch – vor allem in späteren Jahren – Ansätze zur Versöhnung und gelegentlichen finanziellen Unterstützung der Schwägerin. Als 1820 das Gerücht geht, er sei in Johanna verliebt, fällt sein Dementi milde aus.[200] Einem Kind, das Johanna von dem Finanzrat Johann Hofbauer empfängt und Ende 1820 zur Welt bringt, gibt sie den Namen Ludovica. Vor seinem Tod darauf aufmerksam gemacht, dass Johanna gemäß gültigem Testament Nacherbin nach Karl ist, stimmt Beethoven ausdrücklich zu.

Zuvor aber gibt es Auseinandersetzungen und dramatische Zuspitzungen zuhauf. Seit dem Herbst 1818 versucht die Mutter alles, um ihren Sohn zurückzuerhalten. Eine erste Eingabe bei Gericht scheitert; nachdem sie jedoch miterleben muss, wie der zu ihr geflüchtete Karl von der Polizei in sein Erziehungsinstitut zurückgebracht wird, bewirkt sie eine neue Gerichtsverhandlung. In deren Verlauf lenkt Beethoven selbst in ungeschickter Weise die Aufmerksamkeit des Gerichts auf die Tatsache, dass er kein Adelsprädikat besitzt. Daraufhin verweist das für den Adelsstand zuständige Landrecht die Sache an den für bürgerliches Recht zuständigen Magistrat – eine «Degradierung», die Beethoven nie verwunden und die ihn dazu veranlasst hat, in den letzten Lebensjahren verstärkt nach fürstlichen Ehrungen Ausschau zu halten.

Der Wiener Magistrat ist von den gewiss oft wunderlich erscheinenden Auftritten Beethovens augenscheinlich mehr befremdet als beeindruckt und spricht Karl seiner Mutter zu. Beethoven wendet sich daraufhin an das Appellationsgericht und bekommt nach vielem Hin und Her im Juli 1820 tatsächlich «Recht». *Denn ich bin auch ein Mensch, von allen Seiten gehetzt wie ein wildes Tier, verkannt, öfters auf die niedrigste Art von dieser pöbelhaften Behörde behandelt; bei so vielen Sorgen, dem beständigen Kampfe gegen dieses Ungeheuer von Mutter* – so hatte er seinem Anwalt kurz zuvor in einer 48 Seiten umfassenden Denkschrift geschrieben.[201]

In den Folgejahren beruhigen sich die Verhältnisse zumindest vordergründig. Karl besucht vier Jahre lang die Knabenschule Joseph Blöchingers und ab 1823 das Polytechnikum. Er scheint sich an die tyrannische Liebe des «Vaters» zu gewöhnen, macht sich in dessen Haus unentbehrlich und erscheint trotz des misstrauischen und pädagogisch engherzigen Wesens Beethovens vernünftig, ehrerbietig und fast liebevoll – jedenfalls im Spiegel seiner in den Konversationsheften niedergeschriebenen Äußerungen. Zu diesen gehört freilich auch diejenige vom November 1826: «Willst du abreisen, gut – willst du nicht, auch gut – nur bitte ich dich nochmahl, mich nicht so zu quälen, wie du es thust. – Du könntest es doch am Ende bereuen; denn ich ertrage viel, aber was zu viel ist, kann ich nicht ertragen. So hast du es auch dem Bruder heut ohne Ursache gemacht; du mußt bedenken, daß auch Andre Leute Menschen sind.»[202]

Zuvor, am 30. Juli 1826, hatte sich Karl eine Kugel in den Kopf geschossen, jedoch nur eine leichte Verletzung erlitten. Beim Verhör gibt er an: «Ich bin schlechter geworden, weil mich mein Onkel besser haben wollte.»[203] Von Carl Holz erhält Beethoven die schonungslose Mitteilung: «Er gibt keine andere Ursache an, als die Gefangenschaft bey Ihnen.»[204] Dem verhinderten Selbstmörder werden nach seiner Genesung – wie üblich – sechs Wochen Religionsunterricht in polizeilichem Gewahrsam verordnet. Beethoven und seinen Freunden gelingt es, ihn ab Januar 1827 in einem Regiment in Iglau unterzubringen; nach seinem Ausscheiden aus dem Militärdienst führt er ein offenbar normales Leben als Privatmann. Der Tod seines «Vaters» knapp acht Monate nach dem traurigen Vorfall könnte ihm wie eine Erlösung erschienen sein.

Das Maß, in dem das Thema «Neffe» Beethovens Kräfte gebunden hat, ist angesichts eines Menschen, der ja fortdauernd große künstlerische Ziele vor Augen hat, fast unvorstellbar. Die Biographen haben immer wieder darauf hingewiesen, dass die Jahre 1816 bis 1819 im Blick auf Beethovens Schaffen außergewöhnlich unproduktiv waren und dies auf situationsbedingten Mangel an Konzentrationsfähigkeit zurückgeführt. Es erscheint jedoch nicht ohne Sinn, im Zuge eines Gedankenspiels Ursache und Wirkung zu vertauschen und der Frage nachzugehen, ob die konstatierte Schaffenskrise als das ursprüngliche Phänomen, die Beschäftigung mit dem Neffen hingegen als Therapieversuch angesehen werden könnte.

Geht man davon aus, dass Beethoven mit seinem Schaffen – wie vermittelt auch immer – auf sein eigenes Lebensgefühl reagiert hat, so kann man von einem Scheitern des Bestrebens sprechen, unerfüllte kreatürliche Wünsche in idealistisch hochfahrender Musik aufgehen zu lassen: In seiner Tätigkeit als Komponist ist es ihm nicht gelungen, das in der Kindheit unbefriedigt gebliebene Verlangen nach Liebe, Harmonie und familiärer Geborgenheit zu stillen oder wenigstens zum Schweigen zu bringen. Zumindest in einem höheren Sinne ist es mehr als Zufall, dass der Komponist die Achte Sinfonie mit ihrer Absage an heroischen Stil und affirmativen Gestus ausgerechnet zu einem Zeitpunkt vollendet, in dem er die leidenschaftlichen, jedoch gleichwohl auf Verzicht ausgerichteten Briefe an die *Unsterbliche Geliebte* schreibt.

Seit dem Wiener Kongress ist der heroische Gestus auch politisch nicht mehr aktuell. Beethovens 1814 komponierte Kantate *Der glorreiche Augenblick* op. 136 beginnt mit den optimistischen Anfangsworten «Europa steht!». Wie und wo Europa in den Folgejahren steht, wird freilich rasch deutlich: Die alten europäischen Fürsten, die sich wieder in ihre Herrschaft eingesetzt haben, denken nicht daran, dem Volk, das für sie gekämpft und geblutet hat, seinerseits Freiheitsrechte einzuräumen. Vielmehr folgt, ausdrücklich besiegelt durch die Karlsbader Beschlüsse von 1819, die Ära der sprichwörtlich gewordenen Reaktion, die Beethoven – nun auch politisch –

in Resignation und Verzweiflung treibt: Wo sind die Ideale, für die es sich einzusetzen lohnt, nachdem der Befreiungskampf zunächst mit und dann gegen Napoleon so traurige Folgen gezeitigt hat? Entsprechend enttäuscht lauten alsbald seine Kommentare zur aktuellen politischen Lage. Während der Hundert-Tage-Herrschaft Bonapartes schreibt er Kanka: *[…] womit soll ich ihnen in meiner Kunst dienen, sprechen sie […] wollen sie das selbstgespräch eines geflüchteten Königs [Ludwigs XVIII.] oder den Meyneid eines Usurpators [Bonaparte] besungen haben?*[205]

Die elendesten alltäglichsten unpoetische Scenen umgeben mich – und machen mich verdrießlich, klagt er im Juli 1815 Joseph Xaver Brauchle. Später äußert er sich grimmig über die Folgen der vom Wiener Kongress eingeleiteten Restauration. Im Januar 1820 rühmt er in der Rückschau Bonaparte, der nur durch seine Hybris gescheitert sei: *Er hatte Sinn für Kunst und Wissenschaft und haßte die Finsterniß. Er hätte die Deutschen mehr schätzen und ihre Rechte schützen sollen. […] Doch stürzte er überall das Feudal System, und war Beschützer des Rechtes und der Gesetze.*[206]

Solche Äußerungen kommen damals Hochverrat gleich, und deshalb warnt man Beethoven immer wieder davor, in Lokalen allzu offen und laut zu sprechen. Im März 1820 bemerkt Karl Bernard in einem Konversationsheft: «Czerny hat mir erzählt, daß der Abbee Gelinek sehr über sie geschimpft hat im [Speiselokal] Camel; er hat gesagt, Sie wären ein zweyter [Attentäter] Sand, sie schimpften über den Kaiser, über den Erzherzog, über die Minister, sie würden noch an den Galgen kommen.»[207] Der Bremer Musikliebhaber Wilhelm Christian Müller bemerkte zu Beethovens unbotmäßigen Reden anlässlich eines Wien-Besuches im Herbst 1820: «Die Polizei wußte es, aber man ließ ihn, sei es nun als einen Phantasten oder aus Achtung für sein glänzendes Kunstgenie, in Ruhe.»[208]

Um zum Erziehungsprojekt «Neffe» zurückzukehren: Beethoven könnte es geradezu konzipiert haben, um sein bisheriges Engagement für heroisches Menschentum wenigstens im persönlichen Bereich und mit dem Gefühl von unmittelbarer Befriedigung belohnt zu sehen. Der Komponist, der die Taten des Prometheus zuvor in seinen Werken vorgestellt hatte, wird nun selbst zum Prometheus, um in Gestalt des unglückseligen Neffen den neuen, glücklichen Menschen zu formen. Bei der Lektüre der «Neuen Héloïse» mag er nicht nur die Wandlung von Liebesleidenschaft in Seelenfreundschaft, sondern auch Rousseaus Erziehungsutopien als nachahmenswert erlebt haben.

Mag das Engagement für den Neffen – wenigstens bis zum verhängnisvollen Pistolenschuss – äußerlich erfolgreich ausgesehen haben, so ist es ideell gesehen zum Scheitern verurteilt: Weder der neue Mensch noch die reine Liebe zwischen Vater und Sohn wollen gelingen. Beethoven wird je länger je mehr geahnt haben, dass er auch durch einen heroischen Erziehungskampf das ersehnte Lebensglück nicht herbeizwingen könne; und erst diese Einsicht ermöglicht es ihm, nach einer angemessenen Latenzzeit künstlerisch neu anzusetzen: Der Komponist tritt nicht länger als sieggewohnter Eroberer auf, sondern als Mensch, welcher in der Neunten Sinfonie um Humanität, in der *Missa solemnis* um inneren und äußeren Frieden über den Schlussakkord hinaus schwer zu ringen hat, und der in den letzten Quartetten die Welt schließlich in ihrer Brüchigkeit annimmt und zugleich überwindet.

Die Zahl der zwischen 1816 und 1821 vollendeten Werke von Rang ist gering: Zu nennen sind vor allem der Liederkreis *An die ferne Geliebte* und die Klaviersonaten op. 101, 106 sowie 109 bis 111, die nach traditioneller Auffassung die Brücke zum Spätwerk bilden. Von herausragender Bedeutung sind auch die 1819 bis 1823 entstandenen «33 Veränderungen über einen Walzer für Klavier», kurz «Diabelli-Variationen» genannt, die man zu Recht Johann Sebastian Bachs «Goldbergvariationen» und Robert Schumanns «Kreisleriana» an die Seite gestellt hat. Maynard Solomon betrachtet sie als einen «gigantischen Zyklus von Bagatellen»[209], wie sie Beethoven damals auch expressis verbis als op. 126 vorlegt. Gleich diesen spiegeln sie einen die Kompositionsgeschichte reflektierenden und zugleich im Vorgriff auf die späten Quartette experimentellen Umgang mit dem Material im Sinne einer «Musik über Musik».

Indessen kündigen sich noch größere Werke an: Am 9. Juli 1817 schreibt Beethoven an Ferdinand Ries: *Ich werde in der ersten Hälfte des Monats Januar 1818 spätestens in London sein. Die zwei großen Symphonieen, ganz neu komponirt, sollen dann fertig sein.* Das ist zwar Zukunftsmusik; doch immerhin trägt Beethoven im Jahr darauf detaillierte Überlegungen zu neuen sinfonischen Kompositionen in ein Skizzenbuch ein, die allmählich auf eine d-Moll-Sinfonie mit einem Chorfinale über Schillers Ode «An die Freude» zulaufen, deren Vertonung Beethoven seit seiner frühen Bonner Zeit immer wieder beschäftigt zu haben scheint. Aus dem Jahr 1822 ist dieser Plan zweifelsfrei belegt; die beiden darauf folgenden Jahre dienen der endgültigen Ausarbeitung.

Beethovens Beschäftigung mit der *Missa solemnis* beginnt im Jahre 1818; zunächst handelt es sich um eine unproblematisch erscheinende Auftragsarbeit; doch nachdem die Komposition zum vorgesehenen Zeitpunkt nicht fertig geworden ist, wächst sie sich zu einem Hauptwerk aus. Es gehört zu den institutionalisierten Widersprüchen in seinem Leben, dass es um den Verkauf dieser «Herzensangelegenheit» ein unerquickliches Hin und Her mit einem halben Dutzend Verlegern gibt und am Ende ein Zerwürfnis mit dem langjährigen Freund und unermüdlichen Förderer Franz Brentano steht.

Dass Beethoven in den Jahren nach dem Wiener Kongress zurückgezogener lebt und sich bei seinen Besuchern immer wieder über mangelnde öffentliche Anerkennung beklagt, bedeutet nicht, dass er in der Stadt, die ihm inzwischen das taxfreie Bürgerrecht verliehen hat, in Vergessenheit geraten wäre. In den Jahren 1816 bis 1818 nimmt er mit einiger Regelmäßigkeit an den Klavierabenden der Streichers teil, und in Carl Czernys privaten Sonntagsmusiken fantasiert er in den Folgejahren dann und wann zur Rührung der Zuhörer auf dem Klavier. Vor allem in Wohltätigkeitskonzerten dirigiert er gelegentlich eine seiner Sinfonien; zur Eröffnung des Josephstädter Theaters im Herbst 1822 steuert er die Ouvertüre *Die Weihe des Hauses* op. 124 bei. Wenig später wird die Neuinszenierung des *Fidelio* zu einem großen Erfolg; während der Proben muss

Beethoven im Jahr 1823.
Gemälde von Ferdinand Georg Waldmüller

Beethoven freilich zu seiner bitteren Enttäuschung erleben, dass er mangels Gehörs ein Ensemble nicht mehr leiten kann.

Jahrelang trägt er sich mit Plänen zu einer Reise nach London, wo seine Werke geschätzt und von der Philharmonischen Gesellschaft geradezu gepflegt werden. Wie er Ferdinand Ries mitteilt, möchte er dadurch seinem *gänzlichen Ruin* entgehen, noch am 20. Dezember 1822 seufzt er: *Wäre ich nur in London, was wollte ich für die philharmonische Gesellschaft Alles schreiben!*[210]

Den Verehrern und Freunden in seinem engeren Umkreis kann nicht verborgen bleiben, dass das Ausland auf Beethovens Musik gelegentlich mehr erpicht scheint als das heimische Wien. Als daher die Rede davon ist, dass eine neue Sinfonie möglicherweise in Berlin aufgeführt werden solle, appellieren im Winter 1823/24 dreißig Wiener Musiker, Verleger und Enthusiasten in einer kleinen Denkschrift an den Komponisten: «Entziehen Sie dem öffentlichen Genusse, entziehen Sie dem bedrängten Sinne für Großes und Vollendetes nicht länger die Aufführung der jüngsten Meisterwerke Ihrer Hand. Wir wissen, daß eine große kirchliche Komposition sich an jene erste angeschlossen hat, in der Sie die Empfindung einer, von der Kraft des Glaubens und vom Lichte des Überirdischen durchdrungenen und verklärten Seele verewigt haben. – Wir wissen, daß in dem Kranze Ihrer herrlichen noch unerreichten Sinfonien eine neue Blume glänzt.»[211]

Beethoven ist bewegt und gibt die Zustimmung zu einem Konzert, das erstmals nach langen Jahren wieder zu einem herausragenden, öffentlich beachteten Unternehmen wird – zugleich dem letzten vor seinem Tode. Am 7. Mai 1824 erklingen im Kärntnertor-Theater die erwähnte Ouvertüre op. 124, Kyrie, Credo und Agnus Dei aus der *Missa solemnis* und die Neunte Sinfonie. Die drei Teile aus der Messe werden als «Hymnen» angekündigt, weil Messensätze eigentlich nur in kirchlichem Rahmen aufgeführt werden durften. Mit den Sängerinnen Henriette Sontag und Caroline Unger, dem Konzertmeister Schuppanzigh und dem Kapellmeister Michael Umlauf wirken erste Kräfte und zugleich Beethoven-Verehrerinnen und -Verehrer mit; der Schlussbeifall ist gewaltig. Die Unger nötigt den versunken an seinem Platz sitzenden Komponisten, den Beifall entgegenzunehmen; dieser verbeugt sich, ohne doch an der allgemeinen Begeisterung ob seiner Taubheit wirklich Anteil nehmen zu können.

Leider gelingt es Beethoven selbst anlässlich dieses herausragenden, freilich wohl vor allem von den Beethoven-Bewunderern beachteten Ereignisses nicht, sein inzwischen habituelles Misstrauen gegenüber den Helfern abzulegen und auf vielerlei Grobheiten zu verzichten. So kommt im weiteren Umfeld des Konzerts keine gute Stimmung auf. Im Gegenteil: Im Anschluss an die wenig erfolgreiche Wiederholung des Konzerts äußert der von den geringen Einnahmen enttäuschte Komponist den Verdacht, finanziell betrogen worden zu sein. Solche Aufregungen kann man verstehen, wenn man bedenkt, dass Beethoven zu dieser Zeit bei Freunden und Verlagen Schulden hat, da die ihm aus Renten und Verlagshonoraren zufließenden Gelder offensichtlich nicht ausreichen, um einen gehobenen Lebensstandard mit durchschnittlich zwei Dienstboten zu pflegen und für den Unterhalt des Neffen aufzukommen; seine Bankaktien im Wert von etwa 10 000 Gulden will er nicht angreifen, vielmehr ungeschmälert dem Neffen vererben.

Wenn schon der finanzielle Erfolg ausbleibt, so soll jedenfalls die Anerkennung der großen Welt nicht fehlen. Als Beethoven 1823 zum Mitglied der Königlich Schwedischen Akademie ernannt wird, bemüht er sich um die Verbreitung dieser Nachricht in Wiener Blättern. Auf die Übersendung einer Goldmedaille durch den französischen König Ludwig XVIII. reagiert er mit größter Freude: Er schickt dem Fürsten Galitzin eine Abbildung und berichtet stolz, das Prachtexemplar wiege *ein halb Pfund in Gold.* Der dringliche Wunsch, vom preußischen König, dem die Neunte gewidmet ist, gebührend geehrt zu werden, wird kurz vor seinem Tod auf eher unbefriedigende Weise erfüllt: Der ihm statt des erwarteten Ordens übersandte «Brillantring» erweist sich als ein nicht sehr wertvoller rötlicher Stein, den der enttäuschte Beethoven alsbald verkaufen will. Als der Geiger Carl Holz einwendet, das Geschenk sei doch von einem König, ist er in seiner Antwort noch einmal ganz der Alte: *Auch ich bin ein König.*[212]

Noch während der Arbeit an der Neunten hat Beethoven mit Entwürfen zu dem Es-Dur-Quartett op. 127 begonnen. Es ist das erste in einer Reihe von drei Quartetten, die Beethoven im Auftrag des Fürsten Galitzin komponiert, und wird im Februar 1825 fertig; im Juli dieses Jahres schließt er das a-Moll-Quartett op. 132 ab. Die Schlussfuge des im November fertig gestellten B-Dur-Quartetts op. 130 ersetzt der Komponist auf

Bitten des Verlegers durch ein gefälligeres Rondo. Da Beethoven seiner künstlerischen Überzeugung kaum einmal vollständig zuwidergehandelt hat, ist zumindest in Erwägung zu ziehen, dass ihm die gesonderte Veröffentlichung der *Großen Fuge* als op. 133 nicht gänzlich gegen den Strich gegangen ist: In seiner Mischung von Erhabenheit, Gewaltsamkeit und Expressivität ist der Satz zwar grandios; indessen wirkt er innerhalb der zwar zerklüfteten, aber auch subtilen und schnell wechselnde Eindrücke vermittelnden Landschaft der letzten Quartette wie ein erratischer Block.

1826 folgen die Quartette in cis-Moll op. 131 und in F-Dur op. 135. Der Schlusssatz des Letzteren trägt die Überschrift *Der schwer gefaßte Entschluß*; danach folgt das musikalische Motto: *Muß es sein? – Es muß sein! Es muß sein!* Ob man die Mitteilung dieses Mottos als harmlosen Scherz, als Ausdruck grimmigen Humors oder als Schlussstrich unter ein Lebenswerk ansieht – jedenfalls ist damit – vom nachkomponierten Finale zu op. 130 abgesehen – ein Ende markiert: Das Werk wird auf dem Landgut des Bruders Nikolaus Johann in Gneixendorf bei Krems vollendet, wo Beethoven, durch den Selbstmordversuch des Neffen ohnehin bis ins Mark getroffen, im November 1826 gefährlich erkrankt.

Er klagt über Schmerzen im Unterleib, Appetitlosigkeit und Durstgefühle. Während der Rückreise nach Wien, die er in der Begleitung Karls antritt, verschlechtert sich sein Zustand. Der herbeigerufene Arzt Dr. Andreas Wawruch trifft ihn in seiner Wohnung im Schwarzspanierhaus «in den bedenklichen Symptomen einer Lungenentzündung behaftet an; sein Gesicht glühte, er spuckte Blut, die Respiration drohte mit Erstickungsgefahr und der schmerzliche Seitenstich gestattete nur eine quälende Rückenlage»[213]. Nach einer vorübergehend eingetretenen Besserung tritt das für den Besorgnis erregenden Zustand eigentlich verantwortliche Leberleiden in seine tödliche Phase. Der aufgedunsene Unterleib wird mehrmals punktiert, freilich ohne durchgreifenden Erfolg. Die vielen Freunde und Kollegen, die ihn besuchen, ahnen, dass sie einem Sterbenden gegenübertreten.

Der befreundete Arzt Dr. Malfatti rät, dem Patienten zur Linderung der Schmerzen und Besserung der oft trüben Stimmung gekühlten Wein zu reichen. Daraufhin bittet Beethoven den Verleger Schott in Mainz um *sehr guten alten Rheinwein.* Am 1. März 1827 wiederholt er diesen Wunsch und diktiert Schindler anschließend in die Feder: *Vor einigen Tagen, den 27. Febr hatt ich meine 4. Operation, und doch kann ich noch nicht meiner gänzlichen Besserung und Heilung entgegensehen.*

Am 24. März reicht man Beethoven die Sakramente; am gleichen Tag berichtet Anton Schindler dem Pianisten Ignaz Moscheles: «Er fühlt sein Ende, denn gestern sagte er mir und Herrn von Breuning: *plaudite amici, comoedia finita est.*»[214] Beethoven stirbt am späten Nachmittag des 26. März 1827, während über Wien ein Gewitter niedergeht. Im Sterbezimmer sind die Schwägerin Johanna und der Komponist und Schubert-Freund Anselm Hüttenbrenner zugegen.

Der Obduktionsbericht des Dr. Johann Wagner weist auf eine Leberzirrhose als Todesursache hin: «Die Leber erschien auf die Hälfte ihres Volumens zusammengeschrumpft, lederartig fest, grünlichblau gefärbt und an ihrer höckerichten Oberfläche, so wie an ihrer Substanz mit bohnengroßen Knoten durchwebt; deren sämmtliche Gefäße waren sehr enge, verdickt und blutleer.»[215]

Beethoven hinterlässt in einem Geheimfach außer den erwähnten Bankaktien seine Briefe an die *Unsterbliche Geliebte* und ein Medaillon mit einem stilisierten Frauenbildnis, in dem man ebendiese hat sehen wollen. Die Versteigerung der beweglichen Güter erbringt 1440 Gulden und 18 Kreuzer.

Man kann den vom Vater «ererbten» starken Weinkonsum als Ursache für Beethovens tödliches Leberleiden anführen oder – allgemeiner – mit dem psychoanalytisch orientierten Beethoven-Forscher Maynard Solomon eine «matrix of family circumstances, actions, and attitudes» als Erklärungsraster für Beethovens Persönlichkeit erstellen. Freilich zeigt die neuere Forschungsgeschichte, wie rasch man sich dabei in Widersprüche verwickelt. Vielleicht wäre es gelegentlich besser, die Phänomene in ihrer Fremdheit zu belassen, als vorschnell mit glättenden Erklärungen bei der Hand zu sein! Das gilt für Beethovens Werk ebenso wie für sein Leben.

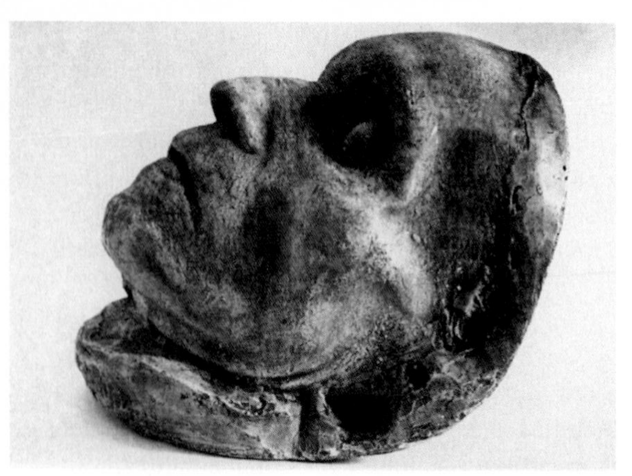

Beethovens Totenmaske, abgenommen von Joseph Daniel Danhauser

Zu dem Leichenbegängnis, das am 29. März um 3 Uhr nachmittags begann, sollen sich an die zwanzigtausend Menschen vor dem Schwarzspanierhaus versammelt haben. Der Sarg wird zur Pfarrkirche in der Alsergasse getragen; acht Kapellmeister halten die Zipfel des Bahrtuches; auf beiden Seiten gehen Musiker als Fackelträger, unter anderem Franz Schubert. Weil während der Beisetzung auf dem Währinger Friedhof nicht gesprochen werden darf, wird die von Franz Grillparzer verfasste Grabrede am Eingangstor vorgetragen, wo man den Sarg niedergelassen hat.

Das Spätwerk

Ungeachtet aller Differenzierungen, welche die Beethoven-Forschung zu Recht vornimmt, gibt es in Beethovens Schaffen zwei wesentliche Zäsuren. Kurz nach 1800 betritt der Komponist einen von ihm selbst so genannten *neuen Weg*. Nunmehr betrachtet er jedes Opus in der Tendenz als ein nach Struktur und Gehalt charakteristisches Einzelkunstwerk, das zu einer Philosophie in Tönen seinen unwiederholbaren Beitrag leistet. Gemäß dem Gestus vieler Werke hat man diese Periode die «heroische» genannt; in einem allgemeineren Sinne ist sie klassizistisch: Der moralische Sieg erscheint als Triumph der Form. In dieser soll sich wie selbstverständlich das eine aus dem anderen entwickeln, das Allgemeine mit dem Besonderen verschmelzen, Freiheit zur Notwendigkeit werden. Alles steht im Zeichen des schönen, des erhabenen Stils, welcher Ordnung schafft, verklärt und idealisiert. Die Finali der Sinfonien und die Ouvertüren künden vom kollektiven Sieg, charakteristische Klaviersonaten von der Selbstüberwindung des Individuums. Die Oper *Fidelio* teilt entsprechende Ideen durch das Medium der Bühnenhandlung in aller Eindeutigkeit mit.

Die Musik dieser Periode ist freilich keineswegs stets so ungebrochen idealistisch und klassizistisch wie etwa in der Fünften Sinfonie: Markante Werke auf dem *neuen Weg* wie die Klaviersonate op. 31,2 oder die *Eroica* bergen formal und gedanklich ein großes Potenzial an Unruhe und Phantastik. Indessen macht Beethoven es sich zu seiner Aufgabe, dieses Potenzial in jedem Werk definitiv zu bändigen. Erst in den Sinfonien des Jahres 1812 deutet sich ein entscheidender Wandel an: Der Triumph am Ende der Siebten gleicht streckenweise mehr einer eruptiven Entladung als einer finalen Konzentration von Kraft, und die Achte spricht geradezu von der Unmöglichkeit heroischer Lösungen.

Es folgt eine lange, eigentlich erst mit den letzten Quartetten abgeschlossene Latenzzeit, von Beethoven mit den eher konventionellen Auftragsarbeiten für den Wiener Kongress zunächst nicht ungeschickt kaschiert. Danach wird es offenbar: Das Siegen gelingt nicht mehr selbstverständlich; Beethoven überlässt sich einem neuen Stadium des Experimentierens, unterbreitet sehr unterschiedliche Vorschläge für die Lösung des «Sinnproblems».

In der zwischen 1817 und 1819 komponierten «Hammerklaviersonate» op. 106, *welche meine größte seyn soll*, wie Beethoven seinem Schüler Czerny mitteilt[216], versucht er es – nach Vorübungen in der Cellosonate op. 102,2 – mit einer nicht von ungefähr *Allegro risoluto* überschriebenen Schlussfuge, die deutlich an Johann Sebastian Bach gemahnt und ausführlich mit allen möglichen kontrapunktischen Finessen arbeitet.

Mutet der Einfall des Komponisten, zum Abschluss dieses gewaltigen, an technischen Schwierigkeiten kaum zu überbietenden Sonatenwerks die objektivierende Kraft einer traditionellen Gattung wirken zu lassen, zwar imposant, zugleich jedoch ebenso gewaltsam wie rätselhaft an, so hat die Lösung, die Beethoven innerhalb der vor allem 1821, im Todesjahr Josephine Brunsviks, komponierten Klaviersonate op. 110 findet, höchste Überzeugungskraft. Von aussagestarken Satzüberschriften geleitet, nimmt der Hörer an der Entfaltung einer poetischen Idee teil, die keiner verbalen Erklärungen bedarf, sondern für sich spricht.

Die Anweisungen des Kopfsatzes – *Moderato cantabile molto espressivo* und, noch spezifischer, *con amabilità – sanft* – zeigen den Weg: Trotz der im ganzen Werk nachweisbaren motivisch-thematischen Zusammenhänge[217] wird nicht angestrengt gearbeitet, sondern streckenweise geradezu meditativ gesungen. Was nach der Formenlehre als Hauptthema definiert werden könnte, ist doch nur ein Motto, ein Seufzer, der zu Anfang nach zweimaligem Erklingen abbricht und in einen Triller mündet. Und dieser Seufzer ist offenbar zu persönlich, um als bloßes «Verbrauchsmaterial» dienen zu können; selbst in der Durchführung wird er nicht verwandelt, sondern nur ein ums andere Mal zitiert.

Klaviersonate op. 110, Anfang

Nach Auffassung Harry Goldschmidts gehört dieses Motto dem Typus des «lyrischen Menuetts» an, innerhalb dessen Beethoven seine Vorstellung von holder, idealisch verklärter Weiblichkeit im Sinne eines lyrischen «Gefühlsstroms» formt.[218] Damit knüpft der Komponist auf frappante Weise dort an, wo er in der vorausgegangenen Sonate op. 109 geendet hatte: Deren Finale besteht nämlich aus Variationen über ein *gesangvoll, mit innigster Empfindung* zu spielendes Thema gleichen Charakters. Es ist nicht von spezieller, wohl aber von allgemeiner Bedeutung, dass dem artverwandten Motto von op. 110 der Ausruf «Liebe Josephine» unterlegt werden kann.[219] Ob man aufgrund dieses an sich schwachen Indizes eine sublime Huldigung für Josephine Brunsvik für denkbar hält oder nicht – unverkennbar ist in jedem Fall, dass die Formung des Mottos als persönlicher Ausdruck verstanden werden soll, freilich nicht als privater.

Im zweiten Satz nimmt Beethoven in unwirscher Scherzo-Manier zurück, was er zuvor an Gefühlserleben vorsichtig gegeben hat. Dafür bricht im dritten Satz offene Klage aus: Der Sprachcharakter der Musik beschränkt sich nicht länger auf ein verstohlenes Motto, schlägt sich vielmehr in einem ausdrucksstarken Rezitativ nieder, das seinerseits in den *klagenden Gesang* eines *Arioso dolente* mündet. Der Gestus der Trauer, wie er sich exemplarisch in der Arie «Es ist vollbracht» aus Bachs «Johannespassion» findet, ist deutlich nachgezeichnet.

Aus düsterem as-Moll geht es in die lichteren Dur-Regionen der Schlussfuge, die – anders als in op. 106 – tröstlichen Wohlklang verströmt und sich im Kontext der ganzen Sonate, aber auch in lebensgeschichtlichem Zusammenhang gut deuten lässt: Die Urgestalt des Themas verwandelt den flehentlichen Gestus des Eingangsmottos in Zuversicht; die nach erneuter, nunmehr *ermatteter* Klage erscheinende Umkehrung nimmt die Bitte um Frieden («Dona nobis pacem») aus der *Missa solemnis* vorweg, mit der Beethoven damals bereits beschäftigt ist. Was im ersten Satz als Seufzer der Sehnsucht begonnen hat, endet nach heftiger Klage in höherer Einsicht, die doch bewahrt, was einmal gewesen ist. Insgesamt gesehen erfüllt das Werk zwar Forderungen nach Folgerichtigkeit und finaler Überhöhung, wie sie für die klassizistische Periode charakteristisch sind; gleichwohl ist es alles andere als heroisch: Die Botschaft lautet nicht Sieg, sondern Ergebung, und der Weg dorthin wird weniger erstritten als erlitten.

Die Fugen-Finali in den Sonaten op. 102,2, op. 106 und op. 110 sind im Schaffen Beethovens keine bloße Episode, vielmehr Ausdruck des entschiedenen Versuchs, den kompositorischen und poetischen Sinn seines Werks in der Auseinandersetzung mit einer musikalischen Form sicherzustellen, die damals vor dem Hintergrund von Tradition und Objektivität gesehen wird. Zwar fordert Beethoven in seinen späteren Jahren ausdrücklich, dass in *die alt hergebrachte Form* der Fuge *ein anderes, ein wirklich poetisches Element kommen müsse*[220], gleichwohl erscheint seine aus dem Jahr 1819 stammende Äußerung von *Freiheit* und *Weitergehn in der Kunstwelt* in neuem Licht, wenn man sie nicht nur – zurückschauend – mit aufklärerischen und revolutionären Ideen in Verbindung bringt, sondern – vorausblickend – an die verstärkte Beschäftigung mit dem musikalischen Erbe denkt, die freilich ihrerseits als Abweichung vom klassizistischen Schönheitsideal und damit als «Ferment von Modernität» verstanden werden kann.[221]

Nicht nur die Auseinandersetzung mit der Fugentradition kennzeichnet wichtige Werke in der Zeit ab 1818, sondern auch die Hinwendung zum Vokalen. Im letzten Satz der Sonate op. 110 «singt» nur die Melodiestimme des Klaviers; die zur selben Zeit entstehenden Großwerke *Missa solemnis* und Neunte Sinfonie geben jedoch Chor und Gesangssolisten ihren realen Platz. In beiden Fällen erfüllt die Präsentation eines Textes nicht zuletzt den Zweck, mögliche Zweifel des Instrumentalkomponisten Beethoven zu überwinden.

Angesichts der *Missa solemnis* ist dies offensichtlich: Der tradierte kirchliche Text gibt den Sinn vor; und es ist auffällig genug, dass der Komponist just in dem Werk, das er selbst als sein größtes bezeichnet hat, den finalen Sinn nicht wie ein Sinfoniker selbst herstellt, sondern gläubig von der Liturgie übernimmt. Das Wort «gläubig» ist hier am Platz, denn gewiss ist es Beethoven mit dem Andreas Streicher am 16. September 1824 gegebenen Hinweis Ernst, dass es seine *Hauptabsicht war, sowohl bey den Singenden als bey den Zuhörenden, Religiöse Gefühle zu erwecken und dauernd zu machen*[222].

Das in der autographen Partitur über dem «Kyrie» einge-

«Missa solemnis». Beginn der autographen Partitur mit der wohl vor allem an Erzherzog Rudolph gerichteten Botschaft: «Von Herzen – Möge es wieder – zu Herzen gehn!»

tragene Motto *Von Herzen – Möge es wieder – zu Herzen gehn!* akzentuiert zugleich das persönliche Moment, welches fast noch deutlicher durch die Eintragung innerhalb des «Dona nobis pacem» zum Ausdruck gebracht ist: *Bitte um den innern und äussern Frieden.* Nicht unbedingt beim Hören der einzelnen Werke, wohl aber in der Gesamtschau verschmelzen die Horizonte: Was in der von einem Einzelnen interpretierten Klaviersonate als Ausdruck individueller Ergebung erlebbar wird, hebt die monumentale Vertonung der Messe ins Allgemeine.

Wohl nicht zu Unrecht hat Theodor W. Adorno von der «beziehungslosen Verehrung» gesprochen, welche diesem «verfremdeten Hauptwerk» im Laufe der Geschichte zuteil geworden sei.[223] In der Tat stehen, wie Kurt von Fischer bemerkt, «Altertümliches, Traditionelles, Liturgisches, Dramatisches, Monumentales, aber auch subjektiv ‹von Herzen zu Herzen› Gehendes zuweilen fast unverbunden nebeneinander»[224]. Erst in den letzten Quartetten hat Beethoven aus solcher Haltung vollends zu Herzen gehende Musik gemacht.

Einstweilen trägt er sich mit letzten sinfonischen Plänen. Auf einem Blatt mit Skizzen zur Klaviersonate op. 106 aus dem Jahre 1818 heißt es: *Adagio Cantique – Frommer Gesang in einer Symphonie in den alten Tonarten – Herr Gott dich loben wir – alleluja – entweder für sich allein oder als Einleitung in eine Fuge. Vielleicht auf diese Weise die ganze [projektierte] 2te Symphonie charakterisirt, wo alsdenn im letzten Stück oder schon im Adagio die Singstimmen eintreten. Die Orchester Violinen etc. werden beim letzten Stück verzehnfacht. Oder das Adagio wird auf gewisse Weise im letzten Stücke wiederholt wobei alsdenn die Singstimmen nach u. nach eintreten – im Adagio Text griechischer Mithos Cántique Eclesiastique – im Allegro Feier des Bachus.*[225]

Hier ist Wesentliches von dem benannt, was den Beethoven der nachheroischen Schaffensperiode auszeichnet: Sinn für die alten, überkonfessionellen Traditionen der Liturgie, Interesse an alten Stilen und Begeisterung für frommen Gesang; mit dem Rückgriff auf die griechische Mythologie werden zudem Erinnerungen an die Zeit der *Eroica* wach. Über ihre speziellen Aussagen hinaus verdeutlicht die Notiz drastisch, in welchem Maße Beethovens Musik als ein Gedankengebäude entsteht: Selbstverständlich gehört schon zu den Vorüberlegungen eine Ahnung auch der klanglichen Gestalt; indessen hat die Arbeit an der geistigen Konzeption Vorrang – jedenfalls in der Neunten Sinfonie, auf die der Komponist zusteuert.

Gerade dieses Werk will nicht nur gehört, sondern auch als Ideenkunstwerk verstanden werden. Wenn Beethoven nach zehnjähriger Pause eine neue Sinfonie vorlegt, nachdem die Achte ja durchaus als Abgesang auf die Gattungstradition hatte gedeutet werden können, so muss man – angesichts seiner augenscheinlich ungeschmälerten künstlerischen Potenz – von vornherein davon ausgehen, dass es hier nicht ‹einfach› weitergehen soll, vielmehr Großes auf dem Spiel steht. Das Bedeutsame darf nicht nur in dem monumentalen Chorfinale gesehen werden; vielmehr ist der Zusammenhang aller Sätze zu beachten.

Es ist ja kaum denkbar, dass Beethoven drei Sätze lang eine Sinfonie mit traditionell geformtem Kopf-, Scherzo- und Adagiosatz schreibt, um danach kommentarlos die Vertonung der Freuden-Ode als die neue Finallösung zu präsentieren. Denn das bedeutete tatsächlich, dass der letzte Satz – wie Richard Wagner gegenüber Franz Liszt kritisch anmerkt – «auf sehr

Detail aus den Skizzen zur Neunten Sinfonie (Manuskript Landsberg 8). Man liest die Worte: «dieser sey gefeiert». (Vgl. S. 144)

naive Weise die Verlegenheit eines wirklichen Tondichters aufdeckt, der nicht weiss, wie er endlich (nach Hölle und Fegefeuer) das Paradies darstellen soll»[226]. Indessen ist nicht zu überhören, dass Beethoven zu Beginn dieses Finales der von Wagner so genannten Schreckensfanfare die Anfänge der drei ersten Sätze folgen lässt, jeweils von einem Orchester-Rezitativ kommentiert. In der Endfassung ist dieser «Kommentar» wortlos, im Skizzenbuch *Landsberg 8* jedoch textiert.[227]

Es heißt dort im Anschluss an die Schreckensfanfare: *Heute ist ein Feierlicher Tag … dieser sey gefeiert durch [?] Gesang u. Tanz.* Es folgt der Anfang des ersten Satzes. Der sich anschließende Kommentar lautet: *O nein, dieses nicht, etwas andres gefällig[es] ist es was ich fordere.* Auf vergleichbare Weise wird das Scherzo zurückgewiesen: *Auch dieses nicht, ist nur Possen […] sondern nur etwas heiterer […] etwas schöners u. bessers.* Die Erinnerung an das Adagio findet gleichfalls keine Zustimmung: *Auch dieses [nicht] es ist zu zärtl. etwas aufgewecktes [?] muss man suchen wie die […] ich werde sehn dass ich selbst euch etwas vorsinge alsdann stimmt nur nach.* Der sodann erklingende Anfang der Freudenmelodie wird mit den Worten kommentiert: *Ha dieses ist es. Es ist nun gefunden Freude […].* In der definitiven Partitur entwickelt sich aus der von Celli und Bässen unbegleitet vorgetragenen Freudenmelodie ein gewaltiger chorisch-solistischer Rundgesang, der so heterogene Elemente wie türkischen Marsch und Doppelfuge in sich vereint.

Neunte Sinfonie, «Freuden»-Melodie

In der Literatur ist über den Sinn der gesamten Abfolge viel spekuliert worden. Der Autor, welcher sich daran selbst beteiligt hat[228], macht hier einen weiteren, sehr einfachen Vorschlag, der bisherige Überlegungen ergänzen könnte. Beethoven schreibt die ersten drei Sätze einer «traditionellen» Sinfonie auf dem höchsten kompositorischen Niveau, das ihm verfügbar ist. Im ersten Satz knüpft er an seine heroische Periode an, verstärkt aber das Moment des Monumentalen und Urtümlichen; im zweiten Satz steigert er die Idee des Scherzos ins Wild-Bacchantische; das Adagio setzt neue Maßstäbe in der Sphäre von Beseeltheit und Versenkung. Die potenziellen Hörer dieser «neuen» Sinfonie gewinnen mehr und mehr den Eindruck, der Meister habe sich noch einmal selbst übertroffen. Doch ehe sie solches Lob aussprechen können, setzt dieser Meister zu einem Finale an, welches alles Vorangegangene infrage stellt: Die beste sinfonische Musik, welche sich der Mensch vorspielen lässt, versagt angesichts der realen Schrecknisse, denen er ausgesetzt ist. Er muss selbst für sein Heil sorgen; und dies geschieht, indem er freudig und gläubig in den Gesang einstimmt, der unter dem Himmel des Gottvaters und Schöpfers alle Menschen zu Brüdern werden lässt.

Ist das der eigentliche finale Sinn des von Beethoven seit Beginn des Jahrhunderts entwickelten sinfonischen Gedankens und der Weisheit letzter Schluss? Im «Doktor Faustus» lässt Thomas Mann «seinen» Komponisten Adrian Leverkühn vor dem paralytischen Zusammenbruch die Neunte Sinfonie als Symbol eines trügerischen Idealismus und zusammen mit ihr den Glauben an das Gute und Edle widerrufen: «Um was die Menschen gekämpft, wofür sie Zwingburgen gestürmt, und was die Erfüllten jubelnd verkündigt haben, das soll nicht sein. Es wird zurückgenommen. Ich will es [in meinem Werk] zurücknehmen.»[229]

Der Dirigent Michael Gielen pflegte zwischen Adagio und Finale der Neunten Sinfonie gelegentlich Arnold Schönbergs Oratorium «Ein Überlebender aus Warschau» einzufügen. Er bemerkte dazu im Jahr 1986: «Dieses Stück über das Grauen zeigt, wohin die Aufklärung [...] und der Idealismus, der ja in dem Schiller-Gedicht und sicher auch in Beethovens Brust präsent war, die Menschheit geführt hat: ins Getto von Warschau und nach Auschwitz. Und durch den Schock hören dann die Leute die Neunte anders. Aber das ist Ideologiekritik, während ich, wenn wir keine moderne Musik vorher spielen, den Mut haben muss, das Stück selber so zu präsentieren, dass es niemanden einfallen kann, dass das die große Feierstunde ist, sondern dass es ein höchst problematisches Stück ist.»

Das ist 20. Jahrhundert; doch man ist geneigt, sich auch den ertaubten Beethoven selbst vorzustellen, der sich linkisch

Beethoven im Jahr 1824. Kreidezeichnung von Stephan Decker

und desorientiert vor dem jubelnden Premierenpublikum der Neunten verbeugt: Was realisiert er als Person von der humanitären, menschheitsverbindenden Kraft, die er in seinem so respektvoll aufgenommenen Werk preist? Wäre die Neunte Sinfonie sein letztes Werk, so könnte man diese Frage mit dem Bemerken zurückstellen, dass große Werke ihrem Schöpfer entwachsen und ein Eigenleben beginnen dürfen und können, hinter dem die Person des Künstlers zurücktritt. Doch es gibt die späten Quartette, die auf faszinierende Weise deutlich machen, dass die Person Beethoven sich nicht mit dem Triumph einer Idee zufrieden gibt, nach der sie selbst nicht mehr zu leben vermag, sondern sich noch einmal in den Strom wirft – kaum bekannten Ufern entgegen.

Der «neue Weg», den Beethoven hier geht, ist fast noch atemberaubender als derjenige, den er ein knappes Vierteljahrhundert zuvor beschritten hat. Es ist der Weg, den die Nachfolger bei aller Verehrung kaum mitgegangen sind – so einzigartig ist er: Musik fügt sich nicht länger dem ihr vorgegebenen Regelsystem, schafft sich vielmehr Freiheit gegenüber ihrer eigenen Gesetzlichkeit. Einerseits sind die späten Quartette auf der Basis dessen komponiert, was die Zeit unter Musik – oder genauer: unter der Musik Beethovens – versteht: Die traditionelle Satzfolge ist beachtet oder zumindest als Idee nicht aufgegeben; die ersten Sätze lassen das Gefüge der Sonatensatzform durchscheinen, und es fehlt auch nicht an Sätzen mit Scherzo-, Adagio- oder Finalcharakter; Metrik, Harmonik, Melodik und motivisch-thematische Arbeit zeigen einmal traditionellere, einmal unkonventionellere Züge, sind aber fast immer auf geläufige Grundmuster zurückführbar. Auch die klangliche Realisierung vermag – ungeachtet einer Tendenz zu extremen Spielweisen – weitgehend die Erwartungen zu erfüllen, die man an die Vorstellung «Streichquartett» knüpft.

Andererseits gehen die späten Quartette nicht in dem auf, was sie vordergründig repräsentieren. Beethoven komponiert und instrumentiert vor dem Horizont einer Norm, der gerecht zu werden ihm nichts bedeutet. Nicht das Abweichen von formalen Konventionen – Kennzeichen jeder guten Musik – ist somit das Besondere, sondern die Weigerung, der schönen Form als solcher zu huldigen. Beethoven treibt sein Spiel mit ihr, beraubt sie ihrer Absolutheit und versteigt sich damit zu immer neuen «Herausforderungen an den Idealismus», wie Adorno in einem Gedankensplitter bemerkt.[230] Anstatt das Material zu bändigen, wird Form – weitaus grundsätzlicher als in den Werken der «heroischen» Periode – selbst zum Material: Sie versagt den Hörern das befriedigende Gefühl, an etwas Allgemeinem teilzunehmen und macht gerade dadurch für das Besondere hellhörig.

Am a-Moll-Quartett op. 132 ist diese Tendenz gut zu verdeutlichen. Der Kopfsatz lässt sich zwar vom Schema des Sonatenhauptsatzes her analysieren und auf motivisch-thematische Zusammenhänge hin untersuchen, erschließt sich in seinem Ausdrucksgehalt jedoch nur, wenn man ihn als einen einzigen Seufzer hört:

Streichquartett a-Moll op. 132, Hauptgedanke des 1. Satzes

Charakteristisch ist zum einen die Maßlosigkeit, mit der diese dringliche Klage immer neu vorgebracht wird, zum anderen die heikle Eigenwilligkeit der sie umgebenden und begleitenden musikalischen Gedanken. Man zögert, von einem empfindlichen Gleichgewicht zu sprechen, sieht eher die Nerven bloßliegen. Das nachfolgende Scherzo mit Trio ist von der habituellen Konventionalität des Gattungstypus weit entfernt: Sein Hauptgedanke nimmt den Klagegestus des ersten Satzes auf und mildert ihn nicht ohne Zögern nach Dur. Die silbrige, fast ätherische Klanglichkeit der Pastorale, welche das Trio eröffnet und später abschließt, geht in einen gewöhnlichen «Deutschen Tanz» über, der wie ein Splitter aus einer jener Gebrauchskompositionen anmutet, die Beethoven dreißig Jahre zuvor für die Wiener Redouten geschrieben hat. Das mag sich innerhalb des formal «Erlaubten» bewegen, gibt jedoch semantische Rätsel auf.

Über die Intention des anschließenden, ungewöhnlich ausgedehnten Adagiosatzes besteht angesichts der Überschrift *Heiliger Dankgesang eines Genesenen an die Gottheit, in der lydischen Tonart* allerdings keinerlei Unklarheit. Mit dem ersten Ton wird die Welt des traditionellen Orgelchorals mit zeilenweiser Durchführung eines cantus firmus beschworen; die intime Streicherbesetzung sorgt freilich für ein Moment subjektiver Brechung. Nach der ersten Choralstrophe wechselt die Szene: Unter der Überschrift *Neue Kraft fühlend* füllt der Komponist – in nunmehr ganz moderner Tonsprache – den Vorstellungskreis «Belebung» mit einer so wunderbaren Mischung von Energie und Zartheit, dass man angesichts der Lebenssituation des damals wirklich von schwerer Krankheit genesenen Komponisten ohne Scheu Rührung empfinden darf – oder doch Bewunderung darüber, was der Geist *bei allen Schwächen des Körpers* vermag.

Die Idee des wortlosen Singens und Sagens ist auch in den beiden ineinander übergehenden Schlusssätzen spürbar. Aus einem lakonisch knappen Marschsätzchen geht ein rhythmisch freies Rezitativ hervor: Die 1. Violine agiert wie die Sängerin in einer dramatischen Szene, die anderen Streicher begleiten im Tremolo. Dem «Accompagnato» folgt alsbald die «Arie», *Allegro appassionato* überschrieben und den damit benannten Gestus vollkommen realisierend. So endet das Quartett weder triumphierend noch versöhnlich, vielmehr in höchster Unruhe: Die Leidenschaft ist ungestillt.

Der *Dankgesang* gilt noch in neuester Literatur «als das merkwürdigste Stück Musik, das Beethoven je geschrieben hat»[231]. Als ungewöhnlich rätselhaft kann er – stellvertretend für das ganze Quartett – allerdings nur demjenigen erscheinen, der Beethoven nicht zugestehen mag, dass er nicht länger den harmonischen Ausgleich zwischen persönlicher Erfahrung und künstlerischem Ausdruck sucht, sondern beides hart aufeinander prallen lässt. Doch gerade darin zeigt sich der musikästhetisch grundlegende Sinneswandel: Das ‹Leben› muss im ‹Werk› nicht länger überwunden oder sublimiert werden – es darf sich in ihm ausdrücken; und ist das Leben unabgeschlossen, nichtidentisch und widersprüchlich, so ist es auch die Kunst. Nur aus klassizistischer Sicht kann Carl Dahlhaus beobachten[232], dass die Subjekt-Objekt-Dialektik im Spätwerk Beethovens in Divergenzen auseinander breche: Vielmehr ist sie erstmals in dieser Blickschärfe auf den Punkt gebracht; und der für jeden Künstler unerfüllbare Anspruch, Subjektives und Objektives verlustfrei versöhnen zu sollen, ist auf musikgeschichtlich unerreichtem Niveau mitkomponiert.

Allein aus Bosheit oder Ignoranz hat man Richard Wagner verargen können, dass er das gern als Zwillingswerk von op. 132 bezeichnete cis-Moll-Quartett op. 131 als «das Bild eines Lebenstages unseres Heiligen» verstanden hat, um auf die-

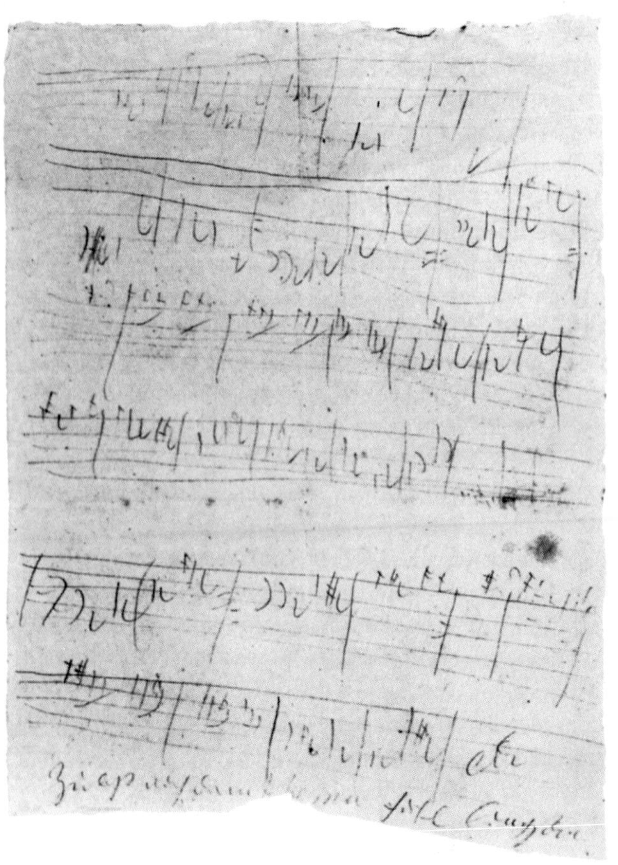

Skizzen zum 2. Satz des Streichquartetts op. 131. Die Notenlinien sind freihändig gezogen

sem Wege der faszinierenden, in traditionellen ästhetischen Kategorien freilich nicht aufgehenden Gedankenwelt näher zu kommen. Der Freidenker in Sachen Musik wollte damit keineswegs einer programmatischen Deutung das Wort reden, vielmehr den Blick für die oben diskutierte Subjekt-Objekt-Dialektik schärfen: Beethoven «beschreibt» nicht etwa seinen empirischen Alltag, sondern macht seine Kunst für sein inneres Erleben durchlässig.

In Wagners Deutung beginnt das bereits wegen seiner ungewöhnlichen Siebensätzigkeit zu semantischen Fragestellungen einladende Werk mit dem schwermütigen Erwachen zu einem Tag, «der in seinem langen Lauf nicht einen Wunsch erfüllen soll, nicht einen!». Danach spürt der Künstler mit «nach innen gewendetem Auge» einzelnen Orten seiner seelischen Landschaft nach, «als lausche er dem eigenen Tönen der Erscheinungen, die luftig und wiederum derb, im rhythmischen Tanze sich vor ihm bewegen. Er schaut dem Leben zu, und scheint sich zu besinnen, wie er es anfinge, diesem Leben selbst zum Tanze aufzuspielen: ein kurzes, aber trübes Nachsinnen, als versenke er sich in den tiefen Traum seiner Seele. Ein Blick hat ihm wieder das Innere der Welt gezeigt: er erwacht, und streicht nun [im Finale] in die Saiten zu einem Tanzaufspiele, wie es die Welt noch nie gehört. Das ist der Tanz der Welt selbst: wilde Lust, schmerzliche Klage, Liebesentzücken, höchste Wonne, Jammer, Rasen, Wollust und Leid.» So wird der Komponist zum «Spielmann, der Alles zwingt und bannt, stolz und sicher vom Wirbel zum Strudel, zum Abgrund leitet: – er lächelt über sich selbst, da ihm dieses Zaubern doch nur ein Spiel war».[233]

Adorno, musikästhetischer Antipode Wagners, jedoch gleichermaßen Verehrer des späten Beethoven, ergänzt die bildhafte Rede von Strudeln und Abgründen auf seine Weise: Für ihn gibt es im Spätstil Beethovens «eine Tendenz zur Dissoziation, zum Zerfall, zur Auflösung» – natürlich nicht «im Sinne eines Kompositionsverfahrens, das es nicht mehr zusammenbrächte», sondern als «Kunstmittel».[234] Doch so hellsichtig diese im Sinne negativer Dialektik formulierten Einschätzungen Wagners eher verklärende Darstellung kontrapunktieren[235], so wenig können sie ihrerseits die ganze Wahrheit sein. Adorno selbst hat maßgeblich zu der Anschauung beigetragen, dass speziell Beethovens letzte Werke eine Philosophie in Tönen vorstellen, die sui generis ist und letztlich keiner Erklärung ex negativo bedarf.

Man kann den Kern der Botschaft in essayistischer Formulierung als «Realismus der Liebe» bezeichnen. Beethovens späte Liebe zur eigenen, gequälten Kreatur und mit ihr zur ganzen Menschheit will nicht länger durch Kunst zusammenzwingen und harmonisieren, was in seiner Disparatheit ausgehalten werden muss, und schafft sich doch zugleich ihr Werk. Dieses ist weder abgeschlossen noch unvollendet, weder homogen noch brüchig, weder individuelles Psychogramm noch objektivierbare Struktur, strahlt weder Schwäche noch Souveränität aus; es gibt vielmehr eine Ahnung von der komplexen Wahrheit einer niemals rastenden Künstlerexistenz mit all ihren Glückserfahrungen und Unerlöstheiten. Indem wir dieser Ahnung immer wieder nachspüren, suchen wir zugleich nach unserer eigenen Wahrheit.

«Ein Stück europäischer Geschichte»

Das Nachleben

«Der Tonkunst holder Mund, der Erbe und Erweiterer von Händel und Bachs, von Haiden und Mozarts unsterblichem Ruhme hat ausgelebt, und wir stehen weinend an den zerrissenen Saiten des verklungenen Spiels», so heißt es in der Grabrede Franz Grillparzers, die sich an die Trauernden als «Repräsentanten einer ganzen Nazion» wendet. «Wie der Behemoth die Meere durchstürmt, durchflog er die Grenzen seiner Kunst. Vom Girren der Taube bis zum Rollen des Donners, von der spitzfindigsten Verwebung eigensinniger Kunstmittel, bis zu dem furchtbaren Punkte, wo das Gebildete übergeht in die regellose Willkür streitender Naturgewalten, alles hatte er durchmessen, alles erfaßt. Der nach ihm kommt, wird nicht fortsetzen, er wird anfangen müssen, denn sein Vorgänger hörte nur auf, wo die Kunst aufhört.»[236]

Das dichterische Pathos sollte nicht darüber hinwegtäuschen, dass diese Worte auf keinen anderen gepasst hätten, vielmehr auf charakteristische Weise herausstellen, was gerade Beethoven den Gebildeten seiner Zeit bedeutet hat. Zum einen gibt er ihnen die Berechtigung, von nationaler Größe in der Musik sprechen zu können. Das Geschichtsbewusstsein in Sachen Musik, welches sich im ersten Drittel des 19. Jahrhunderts entwickelt hat, lebt von den Impulsen, welche die starke Persönlichkeit Beethovens seiner Gegenwart gibt: Er adelt die Musik zu einer Kunst, die zu dem philosophisch-ästhetisch-politischen Diskurs ihrer Zeit Beiträge zu leisten vermag, die denen der Philosophie und Literatur nicht nachstehen.

Die zweiundzwanzigjährige Fanny Mendelssohn berichtet im Frühjahr 1828 aus Berlin über die programmatische Aufführung von Beethovens Sinfonien und fährt fort: «Es ist im-

mer ein Schritt. Sowie wir überhaupt in einer Zeit leben, wo in jeder Beziehung Unglaubliches geleistet wird, so auch in der Kunst, wir mögen es gestehen oder nicht. Die [Matthäus-]Passion erscheint unfehlbar im Lauf des Jahres bei Schlesinger, [der Frankfurter Chordirektor] Schelble hat einen Teil der [h-Moll-] Messe mit Beifall aufgeführt, an allen Ecken rührt es sich, in allen Zweigen rauscht's, da halte sich einer die Ohren zu und wolle es nicht vernehmen!»[237] Unbefangen werden die Wiederentdeckung des Altmeisters Bach und die Durchsetzung der Beethoven'schen Ideenkunstwerke in einem Atem genannt; das

Leichenzug anlässlich der Beisetzung Beethovens. Aquarell von Franz Stöber

Verbindende ist die Vorstellung einer geistigen Größe, die nationale Identität schafft und sich – borniert oder nicht – gegen die Oberflächlichkeit von Salonmusik und italienischer Oper wendet.

Ferner steht Beethoven in den Augen des Zeitgenossen Grillparzer an der Spitze einer Klassiker-Pyramide, die er zusammen mit Haydn und Mozart bildet. Deren Musik lässt sich als «klassisch» beschreiben, weil sie menschlichem Maß folgt: Ihre Themen entsprechen den Humanitätsidealen von Aufklärung und Goethe-Zeit; ihre Formen erscheinen als Überhöhung und Sublimierung primär menschlicher Äußerungsweisen wie Lied und Tanz oder Ausdruck seelischer Prozesse etwa im Sinne des Sonatenhauptsatzes; ihr Schönheitsideal ist das von Einheit, Vollkommenheit, Stimmigkeit, Konsequenz, Reinheit, Gleichgewicht von Inhalt und Form.

Doch darüber hinaus sieht Grillparzer in Beethoven, ohne ihn ausdrücklich so zu nennen, den Romantiker, der sich dem klassischen Schönheitsideal nicht beugt, sondern im kompromisslosen Umgang mit dem Material die Grenzen zwischen idealem Maß und gestalterischer Willkür verwischt. Und schließlich rühmt er die Universalität seiner Kunst, welche die Nachfahren zögern lässt, innerhalb bestimmter Gattungen «nach Beethoven überhaupt noch etwas zu machen»[238].

Diese zweifelnden Gedanken hatte bereits um 1815 der junge Franz Schubert seinem Freund Joseph von Spaun anvertraut; und eine Generation später seufzt Johannes Brahms, dem seine «Erste» noch bevorsteht: «Ich werde nie eine Symphonie komponieren! Du hast keinen Begriff davon, wie es unsereinem zu Mute ist, wenn er immer so einen Riesen [...] hinter sich marschieren hört.»[239] Namentlich innerhalb des sinfonischen Genres muss sich im Verlauf des 19. Jahrhunderts ein jeder an Beethoven messen lassen; und allein die Frage, ob und wie im Zeichen schwindenden Idealismus ein sieghaftes Finale glaubhaft zu realisieren sei, beschäftigt alle großen Sinfoniker bis hin zu Gustav Mahler. Hier hat Beethovens Erbe bisweilen erdrückend gewirkt.

Zumindest prägend war es im Blick auf das Formverständnis vor allem der deutschen Komponisten: Beethoven vollendet den – sich seit Johann Sebastian Bach anbahnenden – Paradigmenwechsel von Form zu Struktur. Dabei ist «Form» ein dem Komponisten vorgegebenes Schema, das es auszufüllen gilt, «Struktur» der einem Werk immanente Sinn, welcher vor allem als ein durch motivisch-thematische Arbeit bestimmter, sich selbst genügender Prozess erscheint. In diesem Sinne ist Johannes Brahms ein Musterschüler Beethovens gewesen, und auf ihm aufbauend sind die Vertreter der zweiten Wiener Schule – Arnold Schönberg, Alban Berg und Anton Webern –

geradezu Strukturapostel geworden; auch viele Tendenzen neuester Musik lassen sich von Bachs und Beethovens Strukturdenken ableiten.

Dabei ist freilich allzu oft in Vergessenheit geraten, dass Beethovens Musik ihre Größe durch die dialektische Verschränkung von immanenter Struktur und transmusikalischer Botschaft erhält. Strukturelle «Vorhaben» werden in Werken wie der Fünften Sinfonie oder der Klaviersonate op. 110 nicht um ihrer selbst willen ausgeführt, sondern im Dienste einer poetischen Idee. Mag jede Struktur auch eine Tendenz zur Verselbständigung in sich tragen, so ist sie doch aus ihrem semantischen Kontext nicht ohne Sinnverlust zu lösen. Gustav Mahler hat diesen Sachverhalt an einem kompositionsgeschichtlich wichtigen Teilmoment erläutert: der Durchführungsarbeit. Nachdem Mozart sich in seinen Durchführungen noch damit begnügte, die Themen «meisterhaft durcheinanderzumischen», hatte Beethoven in der Durchführung «immer etwas Bestimmtes zu sagen»; daher haben Komponisten wie Mendelssohn und Schumann «gefehlt», indem sie zu formaler Durchführungsarbeit zurückgekehrt sind.[240]

Die Fähigkeit Beethovens, «etwas Bestimmtes» zu sagen, ist speziell von Franz Liszt und Richard Wagner herausgestellt und zugleich produktiv relativiert worden. Beide erlebten Beethoven als Begründer eines Zeitalters, in welchem die Musik differenzierter als bisher «Geist und Empfinden, Leben und Ideal einer Gesellschaft widerzuspiegeln» vermochte.[241] Liszts Sinfonische Dichtungen und Wagners Musikalische Dramen folgten den Spuren nicht des Form-, sondern des Ideenkünstlers Beethoven, waren freilich um jene Deutlichkeit bemüht, die ihnen ein literarisches Programm bzw. eine Bühnenhandlung zu garantieren schien. Nicht dem Buchstaben, aber dem Geist nach ist ihre Art der Auseinandersetzung mit Beethoven gewiss nicht weniger produktiv gewesen als die des Traditionalisten Brahms.

An Bedeutung nicht zu unterschätzen ist die Beethoven-Rezeption der Romantik. Wenn Ernst Theodor Amadeus Hoffmann sich in einem aus dem Jahr 1813 stammenden Essay von

Bronzebüste Beethovens aus dem Jahr 1812.
Der Künstler Franz Klein schuf sie nach der von ihm selbst abgenommenen Gipsmaske. Deshalb darf sie als besonders lebensnah angesehen werden.

Beethovens Instrumentalmusik in das «Reich des Ungeheuern und Unermeßlichen» führen lässt und von «Riesenschatten» spricht, «die auf und ab wogen, enger und enger uns einschließen und uns vernichten, aber nicht den Schmerz der unendlichen Sehnsucht, in welcher jede Lust, die schnell in jauchzenden Tönen emporgestiegen, hinsinkt und untergeht»[242], so äußert er sich damit nicht nur begeistert über die Zauberkraft von Musik schlechthin; er weist vielmehr zugleich auf die neuen Dimensionen hin, die speziell Beethovens Musik erschlossen hat: die des Phantastischen, des durch Grenzüberschreitungen und Willkürlichkeiten Faszinierenden.

Die Nachfolger haben sich schwer getan, über angemessene Bewunderung hinaus zu einem eigenen phantastischen Stil zu finden. Am ehesten dürfte dies Robert Schumann gelungen sein, der als Achtzehnjähriger, ein Jahr nach Beethovens Tod, notiert: «Wenn ich Beethovensche Musick höre, so ists, als läse mir jemand Jean Paul vor.»[243] Doch Schumanns Phantastik bevorzugt die kleinen Formen, und sein ausführlichstes Klavierwerk, die C-Dur-Phantasie op. 17, ist bezeichnenderweise eine offene und versteckte Huldigung an Beethoven. Vielleicht sind Gustav Mahler und Dimitrij Schostakowitsch die einzigen gewesen, welche den phantastisch-romantischen Beethoven auch innerhalb des sinfonischen Genres haben weiterleben lassen.

Die neueste Musik steht der von Hans Heinrich Eggebrecht so genannten Erlebensmusik Beethovens und ihrem idealistischen Gedankenhorizont naturgemäß distanziert gegenüber[244], erhält jedoch auch durch sie Impulse für ihr Bestreben zu einer radikalen Befreiung des musikalischen Materials. Pierre Boulez spricht angesichts des Finales der Siebten Sinfonie vom «Triumph des Rhythmus» und einer Vorahnung von Igor Strawinskys «Sacre du Printemps»[245], in ähnlicher Weise ließen sich die von Beethoven komponierten Klangflächen als ein Stück neuer Musik hören und die unendlichen Motivwiederholungen im Kopfsatz der *Pastorale* als Anregung für «Minimal music» verstehen.

Über dem kompositionsgeschichtlichen darf der im weiteren Sinne wirkungsgeschichtliche Aspekt nicht aus den Augen verloren werden. Charakteristisch sind die Worte, die Romain Rolland im Beethoven-Gedenkjahr 1927 findet: «Jede Zeit hat ihren eigenen Inbegriff alles Menschentums, ihren Gottessohn, und sein Blick, sein Tun und Lassen, das Wort, das durch den Mund geht, sind Gemeingut von Millionen. In Beethovens ganzem Wesen – in seiner Art zu empfinden und die Welt in sich aufzunehmen, in der ihm eigentümlichen Form des Verstandes und des Willens, in den Gesetzen seines Schaffens, in seinem Ideenkreis ebensowohl wie in der Beschaffenheit seines Körpers und in seinem Temperament – stellt sich ein Stück europäischer Geschichte dar.»[246]

Die Äußerungen Rollands, der nach seinen eigenen Worten von Kind auf gewöhnt war, in Beethoven zu leben und in dessen Träumen sich mitzuwiegen, sind emphatisch, aber nicht untypisch für die generationenlange Beethoven-Begeisterung nicht nur des deutschen, sondern geradezu des gesamten europäischen Bildungsbürgertums. Dieses findet in Beethoven seine Identifikationsfigur: Wie keine andere versteht man Beethovens Musik als d i e künstlerische Erscheinung jener faustischen Gedankenwelt, innerhalb welcher der neuzeitlich-abendländische Mensch seine Lebensaufgaben definiert und geistig bewältigt. «Faustisch» bedeutet in diesem Zusammenhang: rastlose Suche nach der Wahrheit, Selbstprüfung, Kampf mit dem Schicksal, Leid, Überwindung, Vergeistigung.

Zugleich bietet Beethovens Musik etwas, das über die abendländische Faust-Idee ebenso hinausweist wie über Goethes Bühnenwerk: Siege. Ohne diese Siege hätte Beethoven nicht zum abendländischen Heros werden können. Zum einen ist es der revolutionär utopische Elan, zum anderen die Macht der Musik: Nirgendwo – in keinem Schauspiel und keinem Gemälde – lassen sich Siege nach überwundenen Zweifeln und Widerständen so feiern wie in wortloser Instrumentalmusik. So betrachtet, lässt die *Egmont*-Ouvertüre das ganze Schauspiel vergessen: Der Sieg der Freiheit ist allgemein, jedoch nicht abstrakt, voll sinnlichen Jubels und doch nicht konkret.

Ihr von Philosophen und Dichtern der Romantik gern als «absolut» bezeichnetes Moment macht die Musik freilich anfällig für ideologische Vereinnahmung. So ist die *Eroica* – um nur dieses herausragende Beispiel zu nennen – seit jeher zur

Bestätigung der unterschiedlichsten Weltbilder herangezogen worden. Ein der bürgerlichen Revolution von 1848 entgegenfiebernder Romantiker wie Wolfgang Robert Griepenkerl, Autor von Dramen wie «Maximilian Robespierre» und «Die Girondisten», nimmt das Werk als Vorboten der «neuesten Kunstepoche»: «Die Kunst hat aufgehört, Spielerei zu sein»; sie ist «nicht mehr das Armesünderglöckchen eines vereinzelten Individuums, sondern die große Glocke der Nationen, welche durch die Jahrhunderte hallt».[247] 1892 muss sich die *Eroica* durch den vom Sieg der deutschen Truppen über die Franzosen immer noch trunkenen Hans von Bülow eine Umwidmung gefallen lassen. Im Anschluss an eine Aufführung mit den Berliner Philharmonikern ergreift er das Wort zu einer Rede, in welcher er den «Worten des Wahns: Freiheit, Gleichheit und Brüderlichkeit» die «positive Devise: Infanterie, Cavallerie und Artillerie» gegenüberstellt und demgemäß ausruft: «Wir Musikanten mit Herz und Hirn, mit Hand und Mund, wir weihen und widmen heute die heroische Sinfonie [...] dem Bruder Beethoven's, dem Beethoven der deutschen Politik, dem Fürsten Bismarck!»

1914 zieht der Musikhistoriker Walther Vetter mit einem Aufsatz über die *Eroica*, in dem er das Laster «trägen Hinschleppens, passiven Sichgehenlassens» das zu «Lebenserhöhung und Lebensveredelung» auffordernde Ethos der Sinfonie gegenüberstellt, gleichsam in den Ersten Weltkrieg. Und schon 1927 verkündet Alfred Rosenberg, Chefideologe der sich auf die Machtergreifung vorbereitenden Nationalsozialisten, im «Völkischen Beobachter»: «Denn wir leben heute in der Eroica des deutschen Volkes.» Da nimmt es nicht wunder, dass die Adolf Hitler ergebene Pianistin Elly Ney im Kriegsjahr 1942 aus der Zuschrift eines Sturzkampffliegers die Sätze zitiert: «Nach einem Stuka-Angriff hörte ich abends im Rundfunk zufällig die Eroika. Da spürte ich ganz deutlich, daß diese Musik Bestätigung unseres Kampfes ist, eine Heiligung unseres Tuns.»

Dass Beethoven ihr Tun heilige, sagen sinngemäß auch wert- und nationalkonservative Dichter und Denker, die sich nicht von vornherein mit dem Nationalsozialismus in Verbindung bringen lassen, etwa Eduard Spranger, Hugo von Hofmannsthal oder Richard Benz. Auch die Arbeiterbewegung beruft sich im Verlauf ihrer Geschichte immer wieder auf den namentlich von Hanns Eisler als «Citoyen» charakterisierten Beethoven – etwa am 18. März 1905, als ihre Repräsentanten zum Gedenken an die Revolution von 1848 und unter Berufung auf die humanistisch-fortschrittliche Tradition dieser Musik die Neunte Sinfonie vor 3000 Berliner Arbeitern aufführen. Der sozialdemokratische Kunstkritiker und Kulturpolitiker Heinrich Wiegand feiert 1927 in Beethoven einen Menschen, «der keinen Kampf vermied; das tiefste Elend schaffend überwand; von keinem an Energie übertroffen wird; die letzten Dinge der Menschheit wie die akuten politischen und gesellschaftlichen Ereignisse gleichermaßen heftig in seinem Herzen bewegte; Freiheit, Menschenverbrüderung und Tod aufs herrlichste widertönte».

All das lässt die schweigende Mehrheit der Beethoven-Verehrer einmal mehr, einmal weniger an sich herankommen, ohne sich doch mit den Einzelheiten zu befassen. Statt dessen erlebt sie Beethoven als Mythos – auslegungsbedürftig und vieldeutig, jedoch maßstabsetzend und sinnstiftend. Da die gemeinsame Erfahrung «Beethoven» auf dem Erlebnis der Werke beruht, ist die Biographie als solche zweitrangig. Indessen bedarf es einer Vita, die dem machtvollen, aber unbestimmten Gefühl, das Musik hinterlässt, feste Gestalt gibt: Wir identifizieren uns erfahrungsgemäß lieber mit Personen als mit Anschauungen.

Dass Leben und Werk bei Beethoven zu ein und demselben mythischen Zusammenhang verschmelzen, ist dem historischen Sachverhalt nicht unangemessen: Der Komponist selbst hat sein Leben zu demjenigen eines Kämpfers und Dulders im Dienste des Höheren stilisiert. So erfüllt er als Künstler und Mensch die Sehnsüchte der Zeitgenossen und Nachfahren nach idealer Verwirklichung der von Hugo von Hofmannsthal für sein Volk ersehnten «Kraft und Reinheit»[248]. Richard Dehmel dichtet angesichts des «Beethoven» von Max Klinger: «Allein. Doch neben mir saß Zeus, ein neuer Zeus, von Antlitz und Gestalt Beethoven gleich; und in den Abgrund der Welt und Menschheit starrt sein Schöpferblick herab vom Thron der Sünde und Erlösung, daß sich der Adler ihm zu Füßen sträubt, erwartungsvoll.»[249]

Dem Denken des Autors liegt es näher, mit einer Äußerung Ernst Blochs zu schließen, der dem Komponisten 1923 im «Geist der Utopie» als dem «größten Erwählten des dynamischen, luziferischen Geistes»[250] huldigt: Leidenschaftlich und kämpferisch steht Beethovens Musik für ein Glück ein, das es noch zu erringen gilt.

L. v. Beethoven

Anmerkungen

Abgekürzt zitierte Literatur

Briefe: Ludwig van Beethoven, Briefwechsel, Gesamtausgabe. 8 Bände. Hg. v. Sieghard Brandenburg. München 1996 ff.
Konversationshefte: Ludwig van Beethovens Konversationshefte. 10 Bände. Hg. v. Karl-Heinz Köhler, Grita Herre und Dagmar Beck. Leipzig 1972–1993
TDR: Ludwig van Beethovens Leben von Alexander Wheelock Thayer, bearbeitet und weitergeführt von Hermann Deiters, Revision von Hugo Riemann. Leipzig, Bd. 1: ^{3}1917, Bd. 2: ^{3}1922, Bd. 3: $^{3-5}$1923, Bd. 4: $^{2-4}$1923, Bd. 5: 1908
Wegeler-Ries: Franz Gerhard Wegeler und Ferdinand Ries: Biographische Notizen über Ludwig van Beethoven. Koblenz 1838

1 Vgl. Rainer Cadenbach: Mythos Beethoven. Ausstellungskatalog. Laaber 1986; Helmut Loos (Hg.): Beethoven und die Nachwelt. Materialien zur Wirkungsgeschichte Beethovens. Bonn 1986
2 Vgl. Werner Hofmann: Das irdische Paradies. Kunst im 19. Jahrhundert. München 1960, S. 142
3 Richard Wagner: Sämtliche Schriften und Dichtungen. Bd. 9. Leipzig o. J., 5. Aufl., S. 112
4 Des Bonner Bäckermeisters Gottfried Fischer Aufzeichnungen über Beethovens Jugend. Hg. v. Joseph Schmidt-Görg. München und Duisburg 1971, S. 61
5 Ludwig Schiedermair: Der junge Beethoven. Leipzig 1925, S. 57
6 Vgl. Sieghard Brandenburg: Beethovens politische Erfahrungen in Bonn. In: Helga Lühning und Sieghard Brandenburg (Hg.): Beethoven. Zwischen Revolution und Restauration. Bonn 1989, S. 5
7 Fischer, wie Anm. 4, S. 32
8 Briefe, Nr. 301
9 Konversationshefte, Bd. 2, S. 367
10 Konversationshefte, Bd. 10, S. 297
11 Fischer, wie Anm. 4, S. 52
12 Fischer, wie Anm. 4, S. 57
13 Schiedermair, wie Anm. 5, S. 130
14 TDR, Bd. 1, S. 43
15 TDR, Bd. 1, S. 45
16 TDR, Bd. 1, S. 430 f.
17 Fischer, wie Anm. 4, S. 51 f.
18 Maynard Solomon: Beethoven. Biographie. Frankfurt a. M. 1987, S. 26
19 Fischer, wie Anm. 4, S. 40
20 Anton Schindler: Ludwig van Beethoven. Hg. v. Fritz Volbach. Münster ^{5}1927, Teil 1, S. 17
21 Wegeler-Ries, S. 10
22 Irmgard Leux: Christian Gottlob Neefe (1748–1798). Leipzig 1925, S. 198
23 Brandenburg, wie Anm. 6, S. 11
24 Martin Geck und Peter Schleuning: «Geschrieben auf Bonaparte». Beethovens «Eroica»: Revolution, Reaktion, Rezeption. Reinbek bei Hamburg 1989, S. 22 f.
25 Vgl. Brandenburg, wie Anm. 6, S. 34
26 Schiedermair, wie Anm. 5, S. 161 f.
27 Schiedermair, wie Anm. 5, S. 29
28 Briefe, Nr. 408
29 TDR, Bd. 1, S. 84
30 Schiedermair, wie Anm. 5, S. 28
31 TDR, Bd. 1, S. 303
32 Wolfgang Robert Griepenkerl: Das Musikfest oder die Beethovener. Braunschweig 1838; Carl Dahlhaus: Ludwig van Beethoven und seine Zeit. Laaber 1987, S. 106
33 Schiedermair, wie Anm. 5, S. 319
34 Dahlhaus, wie Anm. 32, S. 42
35 Max Braubach (Hg.): Die Stammbücher Beethovens und der Babette Koch, Bonn ^{2}1995, S. 19
36 TDR, Bd. 1, S. 346
37 TDR, Bd. 2, S. 132
38 Ludwig Nohl: Beethoven. Nach den Schilderungen seiner

Zeitgenossen. Stuttgart 1877, S. 19f.
39 Johann Wolfgang von Goethe: Briefe. Bd. 3. Hg. v. Bodo Morawe. Hamburg 1965, S. 200
40 Briefe, Nr. 65
41 Wegeler-Ries, S. 33
42 TDR, Bd. 2, S. 175
43 TDR, Bd. 1, S. 356
44 Nohl, wie Anm. 38, S. 18
45 Carl Ferdinand Pohl: Joseph Haydn. Bd. 2. Leipzig 1882, S. 251
46 Robert Schumann: Gesammelte Schriften über Musik und Musiker. Bd. 1. Leipzig [2]1871, S. 331 f.
47 Hans Mersmann, Beethoven. Die Synthese seiner Stile. Berlin o. J. [1921], S. 53 u. ö.
48 Allgemeine Musikalische Zeitung, Jg. 5, April 1803, Sp. 489
49 TDR, Bd. 2, S. 449
50 Wegeler-Ries, S. 102
51 Wegeler-Ries, S. 92
52 Wegeler-Ries, S. 114
53 Schindler, wie Anm. 20, Teil 1, S. 39
54 Goethe an Zelter am 9. November 1829, hier zitiert nach: Briefwechsel Goethe–Zelter. Ausgewählt und hg. v. Werner Pfister. Zürich und München 1987, S. 304
55 Johann Friedrich Reichardt: Briefe, die Musik betreffend. Leipzig 1976, S. 277, S. 272 f.
56 TDR, Bd. 2, S. 238
57 Allgemeine Musikalische Zeitung, Jg. 8, Januar 1806, Sp. 237
58 TDR, Bd. 3, S. 37
59 Otto Erich Deutsch: Schubert. Die Erinnerungen seiner Freunde. Leipzig 1957, S. 56
60 Beethoven: Werke, Abt. II, Bd. 1: Ouvertüren und Wellingtons Sieg. München 1974, S. 124
61 TDR, Bd. 3, S. 395
62 TDR, Bd. 3, S. 395
63 TDR, Bd. 3, S. 396
64 TDR, Bd. 3, S. 427
65 Willy Hess: Das Fidelio-Buch. Winterthur 1986, S. 94
66 Briefe, Nr. 43
67 TDR, Bd. 2, S. 142
68 TDR, Bd. 2, S. 143
69 TDR, Bd. 3, S. 123
70 Vgl. die Subskriptionsliste des obengenannten Bridgetower-Konzerts in TDR, Bd. 2, S. 394
71 Nach TDR, Bd. 2, S. 445
72 Geck-Schleuning, wie Anm. 24, S. 225 ff.
73 Konversationshefte, Bd. 2, S. 367
74 Schleuning in Geck-Schleuning, wie Anm. 24, S. 97
75 Rudolf Klein: Beethovenstätten in Österreich. Wien 1970; Kurt Smolee: Wohnstätten Ludwig van Beethovens von 1792 bis zu seinem Tod. Bonn 1970
76 Briefe, Nr. 66
77 Briefe, Nr. 67
78 Briefe, Nr. 65
79 Briefe, Nr. 70
80 Hedwig M. von Asow (Hg.): Ludwig van Beethoven. Heiligenstädter Testament. Faksimile, Wien und München [2]1992, S. 10 ff.
81 Briefe, Nr. 108
82 Vgl. Solomon, wie Anm. 18, S. 143 f.
83 Vgl. dazu Solomon, wie Anm. 18, S. 147
84 Carl Czerny: Erinnerungen aus meinem Leben. Hg. v. Walter Kolneder. Straßburg 1969, S. 14
85 TDR, Bd. 2, S. 566 f.
86 Wegeler-Ries, S. 98
87 Briefe, Nr. 439
88 TDR, Bd. 4, S. 74
89 Dagmar Busch-Weise: Beethovens Jugendtagebuch. Studien zur Musikwissenschaft, Bd. 25. Graz, Wien und Köln 1962, S. 77 u. S. 84
90 Martin Geck und Egon Voss (Hg.): Dokumente zur Entstehung und ersten Aufführung des Bühnenweihfestspiels Parsifal. In: Richard Wagner: Sämtliche Werke, Bd. 30. Mainz 1970, S. 77
91 Briefe nach Kastner/Kapp, Nr. 253
92 Schindler, wie Anm. 20, Teil 1, S. 241

93 Harry Goldschmidt: Um die Unsterbliche Geliebte. Leipzig 1977, S. 60
94 Joseph Schmidt-Görg: Wer war «die M.» in einer wichtigen Aufzeichnung Beethovens. In: Beethoven-Jahrbuch 1961/64, S. 75 ff.
95 Goldschmidt, wie Anm. 93, S. 19 f. Vgl. Sieghard Brandenburg (Hg.): Beethoven. Der Brief an die Unsterbliche Geliebte. Bonn 1986
96 Maynard Solomon: Beethovens Tagebuch. Hg. v. Sieghard Brandenburg. Mainz 1990, S. 39
97 Wegeler-Ries, S. 117
98 Wegeler-Ries, S. 43
99 Briefe, Nr. 20
100 Konversationshefte, Bd. 3, S. 157
101 Briefe, Nr. 273
102 La Mara (N. Lipsius): Beethoven und die Brunsviks. Leipzig 1920, S. 27 ff.
103 Konversationshefte, Bd. 2, S. 451; vgl. auch S. 365–367
104 TDR, Bd. 2, S. 307
105 TDR, Bd. 2, S. 307
106 Marie-Elisabeth Tellenbach: Beethoven und seine «Unsterbliche Geliebte» Josephine Brunswick. Ihr Schicksal und der Einfluß auf Beethovens Werk. Zürich 1983, S. 57; George R. Marek: Ludwig van Beethoven. Das Leben eines Genies. München 1970, S. 231
107 Marek, wie Anm. 106, S. 234
108 Tellenbach, wie Anm. 106, S. 60
109 La Mara, wie Anm. 102, S. 54
110 Joseph Schmidt-Görg (Hg.): Beethoven. Dreizehn unbekannte Briefe an Josephine Gräfin Deym geb. Brunsvik. Bonn 1957, S. 20 f.
111 Schmidt-Görg, wie Anm. 110, S. 25 f.
112 Goldschmidt, wie Anm. 93, S. 145
113 Schmidt-Görg, wie Anm. 110, S. 14
114 Briefe, Nr. 367
115 W. A. Thomas-San-Galli: Ludwig van Beethoven. München 1921, S. 261
116 Briefe, Nr. 432
117 Briefe, Nr. 429
118 Tellenbach, wie Anm. 106, S. 125 ff.
119 Solomon, wie Anm. 18, S. 186 ff.
120 Nach Solomon, wie Anm. 18, S. 210
121 Goethe, wie Anm. 39
122 Briefe, Nr. 1952
123 Briefe, Nr. 378
124 Wegeler-Ries, S. 113
125 Briefe, Nr. 186
126 Briefe, Nr. 28, 27
127 Briefe, Nr. 557, 548, sowie TDR, Bd. 2, S. 115
128 Wegeler-Ries, S. 116
129 Briefe, Nr. 87
130 Theodor Frimmel: Beethoven-Handbuch. Bd. 1. Hildesheim und Wiesbaden 1968, S. 423
131 TDR, Bd. 3, S. 505
132 Briefe, Nr. 442; Skizzenbuch Wien A 45, Bl. 25
133 Briefe, Nr. 1318
134 Friedrich Nietzsche: Werke in sechs Bänden. Bd. 3. Hg. v. Karl Schlechta. München und Wien 1980, S. 284
135 Bettina von Arnim: Werke und Briefe, Bd. 2. Hg. v. Gustav Konrad. Frechen 1959, S. 248
136 Wilhelm Heinrich Wackenroder: Werke und Briefe. Hg. v. Ludwig Tieck. Heidelberg 1967, S. 204
137 Martin Heidegger: Einführung in die Metaphysik. Tübingen 1987, S. 47
138 Vgl. u. a. Harry Goldschmidt: Vers und Strophe in Beethovens Instrumentalmusik. In: Beethoven-Symposion Wien 1970. Wien 1971, S. 97–120. Vor Goldschmidt hatte vor allem Arnold Schering in diesem Sinne geforscht und interpretiert.
139 Czerny, wie Anm. 84, S. 43
140 Schindler, wie Anm. 20, Teil 2, S. 221
141 Amadeus Wendt: Gedanken über die neuere Tonkunst, und van Beethoven's Musik, namentlich des-

sen Fidelio. In: Allgemeine Musikalische Zeitung, Jg. 17, 24. Mai 1815, Sp. 351

142 Wagner, wie Anm. 3, Bd. 3, S. 22 f.

143 Paul Bekker: Die Sinfonie von Beethoven bis Mahler. Berlin 1918, S. 15

144 Arnold Schmitz: Das romantische Beethovenbild. Berlin und Bonn 1927, S. 165 f.

145 Dahlhaus, wie Anm. 32

146 Wegeler-Ries, S. 78

147 Wagner, wie Anm. 3, Bd. 5, S. 169 f.

148 Mersmann, wie Anm. 47, S. 33

149 Carl Dahlhaus: Beethovens «Neuer Weg». In: Jahrbuch des Staatlichen Instituts für Musikforschung. Berlin 1974, S. 54

150 Cosima Wagner: Die Tagebücher. Bd. 2. Hg. v. Martin Gregor-Dellin und Dietrich Mack. München und Zürich 1977, S. 568

151 Schindler, wie Anm. 20, Teil 1, S. 158

152 Vgl. das Begriffsfeld «Überwindung» bei Hans-Heinrich Eggebrecht: Zur Geschichte der Beethoven-Rezeption. Laaber [2]1994, S. 71 ff. Ferner: Mechtild Fuchs: ‹So pocht das Schicksal an die Pforte›. Untersuchungen und Vorschläge zur Rezeption sinfonischer Musik des 19. Jahrhunderts. München und Salzburg 1986

153 Solomon, wie Anm. 96, S. 83

154 Harry Goldschmidt: Beethoven – Werkeinführungen. Leipzig 1975, S. 41 f.

155 Vgl. Peter Gülke: Zur Neuausgabe der Sinfonie Nr. 5 von Ludwig van Beethoven. Werk und Edition. Leipzig 1978, S. 53, sowie Martin Geck: Beethoven auf dem «Neuen Weg». Zur Philosophie seiner V. Sinfonie. In: Renate Ulm (Hg.): Die 9 Symphonien Beethovens. München und Kassel 1994, S. 168 ff.

156 Friedrich Schiller: Nationalausgabe der Werke. Bd. 20. Weimar 1962, S. 199

157 Hilmar Frank: Joseph Anton Koch. Der Schmadribachfall. Natur und Freiheit. Frankfurt a. M. 1995, S. 28

158 Schiller, wie Anm. 156, S. 467

159 Friedrich Hölderlin: Sämtliche Werke. Bd. 2. Hg. v. Friedrich Beißner. Stuttgart 1951, S. 147

160 wie Anm. 132

161 Hermann Kretzschmar: Führer durch den Konzertsaal. 1. Abteilung, Bd. 1. Leipzig [4]1913, S. 234

162 Carl Dahlhaus: Bemerkungen zu Beethovens 8. Symphonie. In: Schweizerische Musikzeitung, Jg. 110, 1970, S. 209

163 Leopold Schmidt: Beethoven. Werke und Leben. Berlin 1924, S. 215 f.

164 Wagner, wie Anm. 3, Bd. 3, S. 94 f.

165 Vgl. Wolfgang Osthoff: Zum Vorstellungsgehalt des Allegretto in Beethovens 7. Symphonie. In: Archiv für Musikwissenschaft, Jg. 34, 1977, S. 171 ff.

166 Elisabeth Eleonore Bauer: Beethoven – unser musikalischer Jean Paul. In: Musikkonzepte 56. Beethoven: Analecta varia. München 1987, S. 83 ff.

167 Jean Paul: Vorschule der Ästhetik. Hg. v. Norbert Miller. München [2]1974, S. 132 u. S. 129

168 Vgl. Tellenbach, wie Anm. 106, S. 157

169 Solomon, wie Anm. 96, S. 39

170 Konversationshefte Bd. 1, S. 211 u. S. 235

171 Solomon, wie Anm. 96, S. 95. Zu Beethovens Tagebuch-Vorlagen s. Solomon, S. 4 und S. 125 ff. Das Zitat folgt hier dem originalen Wortlaut bei Immanuel Kant: Werke. Bd. 1. Hg. v. Ernst Cassirer und Artur Buchenau. Berlin 1912, S. 337 u. S. 349

172 Albert Leitzmann (Hg.): Ludwig van Beethoven. Berichte der Zeit-

genossen. Bd. 1. Leipzig 1921, S. 278 f.
173 Brandenburg, wie Anm. 95, S. 28
174 Briefe, Nr. 933
175 Briefe, Nr. 630
176 TDR, Bd. 3, S. 363
177 TDR, Bd. 3, S. 371
178 TDR, Bd. 3, S. 371
179 Solomon, wie Anm. 18, S. 252
180 Solomon, wie Anm. 96, S. 105 und S. 171, sowie ders., wie Anm. 18, S. 252 f.
181 Konversationshefte, Bd. 1, S. 266
182 Konversationshefte, Bd. 1, S. 267 f.
183 Solomon, wie Anm. 18, S. 103
184 Briefe, Nr. 1260
185 Briefe, Nr. 1731
186 Schindler, wie Anm. 20, Teil 1, S. 232
187 Briefe, Nr. 1833
188 Friedrich Rochlitz: Für Freunde der Tonkunst. Bd. 4. Leipzig [3]1868, S. 229
189 Solomon, wie Anm. 18, S. 293
190 Rochlitz, wie Anm. 188, S. 234
191 Rochlitz, wie Anm. 188, S. 231
192 Leitzmann, wie Anm. 172, S. 185
193 Vgl. das Kapitel «Beethoven und sein Neffe». In: Solomon, wie Anm. 18, S. 265 ff.
194 TDR, Bd. 3, S. 518
195 Briefe, Nr. 897
196 Friedrich Kerst (Hg.): Die Erinnerungen an Beethoven. Bd. 1. Stuttgart 1913, S. 200 f.
197 Briefe, Nr. 934
198 Briefe, Nr. 971
199 Konversationshefte, Bd. 1, S. 311
200 Vgl. die Zusammenstellung der Quellen bei Solomon, wie Anm. 18, S. 282 f.
201 Beethoven. Entwurf einer Denkschrift an das Appellationsgericht. Von Dagmar Weise. Bonn 1953, S. 44
202 Konversationshefte, Bd. 10, S. 286
203 Konversationshefte, Bd. 10, S. 169
204 Konversationshefte, Bd. 10, S. 156
205 Briefe, Nr. 802
206 Konversationshefte, Bd. 1, S. 210
207 Konversationshefte, Bd. 1, S. 339
208 Kerst, wie Anm. 196, S. 263
209 Solomon, wie Anm. 18, S. 345
210 Wegeler-Ries, S. 146; Briefe, Nr. 748 u. Nr. 1044
211 TDR, Bd. 5, S. 67–69
212 Solomon, wie Anm. 18, S. 328
213 Solomon, wie Anm. 18, S. 324 f.
214 Aus Moscheles' Leben. Nach Briefen und Tagebüchern seiner Frau. Bd. 1, Leipzig 1872, S. 153
215 TDR, Bd. 5, S. 492
216 Carl Czerny: Über den richtigen Vortrag der sämtlichen Beethoven'schen Klavierwerke. Hg. v. Paul Badura-Skoda. Wien 1963, S. 16
217 Vgl. besonders die Analysen von Ludwig Misch: Zwei Anmerkungen zur As-dur-Sonate op. 110. In: Beethoven-Studien. Berlin 1950, S. 56 ff.; Armin Knab: Die Einheit der Beethovenschen Klaviersonate in As-Dur, op. 110. In: Denken und Tun. Gesammelte Aufsätze über Musik. Berlin 1959, S. 46 ff.; Karl Michael Komma: Die Klaviersonate As-Dur Opus 110 von Ludwig van Beethoven. Beiheft zur Faksimileausgabe. Stuttgart 1967
218 Goldschmidt, wie Anm. 93, S. 280 ff., speziell S. 282. Vgl. auch Jean und Brigitte Massin: Recherche de Beethoven. Paris 1970, S. 132 ff.
219 Tellenbach, wie Anm. 106, Seite 257 ff.
220 Wilhelm v. Lenz: Beethoven. Eine Kunst-Studie. Bd. 5, Hamburg 1860, S. 219
221 Dahlhaus, wie Anm. 32, S. 243
222 Briefe, Nr. 1875
223 Theodor W. Adorno: Beethoven. Philosophie der Musik. Frankfurt a. M. 1993, S. 205
224 Kurt von Fischer: Missa solemnis op. 123. In: Albrecht Riethmüller, Carl Dahlhaus und Alexander

L. Ringer (Hg.): Beethoven. Interpretationen seiner Werke. Laaber 1994, Bd. 2, S. 248

225 Gustav Nottebohm: Zweite Beethoveniana. Leipzig 1887, S. 163

226 Richard Wagner: Sämtliche Briefe. Bd. 7. Hg. v. Hans-Joachim Bauer und Johannes Forner. Leipzig 1988, S. 204

227 Übertragen nach einer Kopie des Beethoven-Hauses. Vgl. ferner: Nottebohm, wie Anm. 225, S. 189 ff.; TDR, Bd. 5, S. 27 f., Sieghard Brandenburg: Die Skizzen zur Neunten Symphonie. In: Harry Goldschmidt (Hg.): Zu Beethoven. Bd. 2. Berlin 1984, S. 88 ff.

228 Martin Geck: Von Beethoven bis Mahler. Die Musik des deutschen Idealismus. Stuttgart und Weimar 1993, S. 93 ff.

229 Thomas Mann: Doktor Faustus. In: Gesammelte Werke. Bd. 6. Frankfurt a. M. 1960, S. 634

230 Adorno, wie Anm. 223, S. 227

231 Manfred Hermann Schmid: Streichquartett a-Moll op. 132. In: Riethmüller usw., wie Anm. 224, Bd. 2, S. 337 (unter Berufung auf Philip Radcliffe)

232 Dahlhaus, wie Anm. 32, S. 264

233 Wagner, wie Anm. 3, S. 96 f.

234 Adorno, wie Anm. 223, S. 267

235 Jahre zuvor hatte Wagner in Beethovens «Ringen nach Auffindung eines neuen musikalischen Sprachvermögens» durchaus auch «krampfhafte Züge» entdeckt, die auf äußerliche Weise von Berlioz aufgenommen wurden. («Oper und Drama», in: Wagner, wie Anm. 3, Bd. 3, S. 280)

236 Franz Grillparzer: Rede am Grabe Beethovens. In: Sämtliche Werke. Bd. 14: Prosaschriften II. Wien 1925, S. 45 f.

237 Sebastian Hensel: Die Familie Mendelssohn 1729–1847 nach Briefen und Tagebüchern. Bd. 1. Berlin ^{15}1911, S. 213 f.

238 Deutsch, wie Anm. 59, S. 109

239 Max Kalbeck: Brahms. Bd. 1,1. Berlin ^{2}1908, S. 165

240 Josef Bohuslav Foerster: Der Pilger. Erinnerungen eines Musikers. Prag 1955, S. 408

241 Franz Liszt: Gesammelte Schriften. Bd. 1. Leipzig 1880, S. 163

242 E. T. A. Hoffmann: Beethovens Instrumentalmusik. In: Musikalische Dichtungen und Aufsätze. Stuttgart 1922, S. 305

243 Robert Schumann: Tagebücher, Bd. 1. Hg. von Georg Eismann. Basel und Frankfurt a. M. 1971, S. 97

244 Eggebrecht, wie Anm. 152, S. 56

245 Pierre Boulez: Wille und Zufall. Gespräche mit Célestin Deliège und Hans Mayer. Stuttgart und Zürich 1977, S. 149

246 Romain Rolland: Beethovens Meisterjahre. Von der Eroica zur Appassionata. Deutsch von Th. Mutzenbecher. Berlin 1952, S. 7. Das nachfolgende Zitat ebda., S. 6

247 Geck-Schleuning, wie Anm. 24, S. 242. Die folgenden Zitate ebda., S. 284 f. (Bülow), S. 300 (Vetter), S. 344 (Rosenberg), S. 346 (Ney), S. 322 (Eisler und Arbeiterbewegung), S. 322 (Wiegand)

248 Hugo von Hofmannsthal in seiner «Rede auf Beethoven» 1920, zitiert nach Geck-Schleuning, wie Anm. 24, S. 328

249 Richard Dehmel: Jesus und Psyche. Phantasie bei Klinger. In: Gesammelte Werke. Bd. 1. Berlin 1913, S. 190

250 Ernst Bloch: Geist der Utopie. Bearbeitete Neuauflage der zweiten Fassung von 1923. Frankfurt a. M. 1964, S. 88

Zeittafel

1770 17. Dezember: Ludwig van Beethoven in Bonn getauft (Eltern: Johann van Beethoven und Maria Magdalena, geb. Keverich)
1773 24. Dezember: Tod des Großvaters
1774 8. April: Taufe des Bruders Kaspar Karl. Beginn der Musikunterweisung durch den Vater
1776 2. Oktober: Taufe des Bruders Nikolaus Johann
1778 26. März: Erstes Auftreten in einem Kölner Akademiekonzert
1781 Beginn des Unterrichts bei Christian Gottlob Neefe. Reise mit der Mutter nach Holland
1782 Bekanntschaft mit Franz Wegeler und der Adelsfamilie Breuning
1783 Veröffentlichung erster Kompositionen. Beethoven wird besoldetes Mitglied der Bonner Hofkapelle
1784 Wahl des Erzherzogs Maximilian Franz zum Kurfürsten von Köln. Ernennung Beethovens zum 2. Hoforganisten
1787 April: Aufenthalt in Wien; möglicherweise Besuch bei Mozart. Anfang Juli: Rückreise. 17. Juli: Tod der Mutter
1789 Beethoven wird Vormund seiner Brüder
1790 Bekanntschaft mit dem Grafen Waldstein
1791 Reise mit der Bonner Hofkapelle nach Bad Mergentheim
1792 November: zweite Reise Beethovens nach Wien. Komposition der Streichtrios op. 3. 18. Dezember: Tod des Vaters
1793 Unterricht bei Joseph Haydn und Johann Schenk. Mit Haydn beim Fürsten Esterházy in Eisenstadt
1794 Unterricht bei Johann Georg Albrechtsberger und Antonio Salieri
1795 Frühjahr: Ende der Ausbildung. 29. März: Erstes öffentliches Auftreten in Wien. Herausgabe der Klaviertrios op. 1
1796 Februar: Reise nach Prag, Dresden, Leipzig, Berlin. Begegnungen mit dem preußischen König und Prinz Louis Ferdinand. 23. November: Konzert in Preßburg. Komposition der *Adelaide* op. 46
1797 6. April: Aufführung des Quintetts op. 16 durch Ignaz Schuppanzigh
1798 Auftreten der Gehörschwäche. Komposition der *Sonate pathétique* op. 13
1800 Komposition der Streichquartette op. 18. 2. April: die erste eigene Akademie mit Erster Sinfonie, Septett op. 20 und dem Ersten Klavierkonzert. Legat des Fürsten Lichnowsky
1801 28. März: Das Ballett *Die Geschöpfe des Prometheus* uraufgeführt. Briefe an Wegeler und Karl Amenda wegen des Gehörleidens
1802 Carl Czerny und Ferdinand Ries werden Beethovens Schüler. Oktober: «Heiligenstädter Testament»
1803 5. April: Akademie mit Zweiter Sinfonie, Drittem Klavierkonzert und dem Oratorium *Christus am Ölberge*. Vollendung und Aufführung der *Kreutzer-Sonate* op. 47. Arbeit an der *Eroica*. Opernauftrag von Schikaneder
1804 Erste private Aufführungen der *Eroica*. Arbeit an der Oper *Fidelio*
1805 7. April: Erste öffentliche *Eroica*-Aufführung. 20. November: Erste Aufführung des *Fidelio* (1. Fassung)
1806 29. März: Erste Aufführung der 2. Fassung des *Fidelio*. 23. Dezember: Uraufführung des Violinkonzerts. Vollendung der Streichquartette (Rasumowsky-Quartette) op. 59

1807 Komposition der Messe op. 86 für den Fürsten Esterházy, Uraufführung am 13. September. Subskriptionskonzerte im Palais des Fürsten Lobkowitz u. a. mit Vierter Sinfonie, Viertem Klavierkonzert, *Coriolan*-Ouvertüre

1808 Angebot, als Kapellmeister König Jérômes nach Kassel zu gehen. 22. Dezember: Akademie mit Uraufführung der Fünften und Sechsten Sinfonie, der Chorfantasie op. 80 und Teilen der Messe op. 86

1809 Februar: Vertrag mit den Fürsten Lobkowitz und Kinsky sowie dem Erzherzog Rudolph über ein langfristiges Legat. Komposition des Fünften Klavierkonzerts und des Streichquartetts op. 74

1810 Heiratsabsichten gegenüber Therese Malfatti. 15. Juni: erste Aufführung der Musik zu *Egmont*. Bis 1822 entstehen 168 Bearbeitungen angelsächsischer Liedmelodien

1811 Arbeit an Siebter und Achter Sinfonie und am Klaviertrio op. 97

1812 9. Februar: Uraufführungen der Schauspielmusiken zu den *Ruinen von Athen* op. 113 und *König Stephan* op. 117 in Pest. Sommer: Zusammentreffen mit Goethe im Kurort Teplitz und Brief an die *Unsterbliche Geliebte*

1813 8. Dezember: Uraufführung des Schlachtengemäldes *Wellingtons Sieg* und der Siebten Sinfonie. Tod des Fürsten Kinsky

1814 27. Februar: Akademie u. a. mit Achter Sinfonie. 23. Mai: Wiederaufnahme des *Fidelio* (3. Fassung), Tod des Fürsten Lichnowsky

1815 Konzerte zum Wiener Kongress. Tod des Bruders Kaspar Karl. Übernahme der Vormundschaft für den Neffen Karl. 25. Dezember: Uraufführung von *Meeresstille und Glückliche Fahrt* op. 112

1816 Beginn eines langwierigen Prozesses um die Vormundschaft. Liederkreis *An die ferne Geliebte* op. 98. Tod des Fürsten Lobkowitz

1818 Klaviersonate op. 106

1819 Völlige Ertaubung, Beginn der Konversationshefte. Beginn der *Missa solemnis*

1820 Der Vormundschaftsprozess wird zu Beethovens Gunsten entschieden. Komposition der Klaviersonate op. 109

1821 Beethoven erkrankt an Gelbsucht. Arbeit an der Klaviersonate op. 110

1822 Uraufführung der Ouvertüre *Die Weihe des Hauses* op. 124 zur Eröffnung des Josephstädter Theaters am 3. Oktober. Arbeit an der Neunten Sinfonie. Anton Schindler wird Beethovens Gehilfe.

1823 Beendigung der *Missa solemnis* und der *Diabelli-Variationen* op. 120

1824 6. April: Uraufführung der *Missa solemnis* in St. Petersburg. 7. Mai: Akademie mit Uraufführung der Neunten Sinfonie und Teilen der *Missa solemnis*. Komposition des Streichquartetts op. 127

1825 Aufführungen der Streichquartette op. 127 und 132 durch Schuppanzigh und Joseph Böhm

1826 21. März: Aufführung des Streichquartetts op. 130 durch Schuppanzigh. 30. Juli: Selbstmordversuch des Neffen. Aufenthalt auf Gut Gneixendorf, dem Besitztum des Bruders. Letzte Komposition: Neues Finale zu Opus 130. Plan einer zehnten Sinfonie. Schwere Erkrankung

1827 Andauerndes Krankenlager. 26. März: Tod nach langjährigem chronischem Leberleiden. 29. März: Begräbnis

Zeugnisse

Thomas Mann über die 3. «Leonoren»-Ouvertüre

Wir Deutschen haben aus der Philosophie die Redewendung ‹an sich› übernommen und brauchen sie alle Tage, ohne uns viel Metaphysik dabei zu denken. Aber hier hast du's, solche Musik ist die Tatkraft an sich, die Tatkraft selbst, aber nicht als Idee, sondern in ihrer Wirklichkeit. Ich gebe dir zu bedenken, daß das beinahe die Definition Gottes ist. Imitatio Dei – mich wundert, daß das nicht verboten ist. Vielleicht ist es verboten. Mindestens ist es bedenklich, – ich will damit nur sagen: ‹bedenkenswert›. Schau her: Die energischste, wechselvollste, spannendste Folge von Geschehnissen, Bewegungsvorgängen, nur in der Zeit, aus Zeitgliederung, Zeit-Erfüllung, Zeit-Organisation allein bestehend, ins konkret Handlungsmäßige einmal ungefähr gerückt durch das wiederholte Trompetensignal von außen. Höchst nobel und großsinnig ist das alles, gehalten geistvoll und eher nüchtern, auch an den ‹schönen› Stellen, – weder sprühend, noch allzu prächtig, noch koloristisch sehr aufregend, nur eben meisterhaft, daß es nicht zu sagen ist.
Doktor Faustus, 1947

Günther Anders über eine «Fidelio»-Aufführung

Waren im Fidelio. – Deprimierend, wie enthusiastisch sie nachher klatschten und riefen, daß sie sich ausschließlich als *Publikum* benahmen. Ihr Leben, ihre Überzeugungen, ihre Schuld hatten sie an der Garderobe mit abgegeben. Keinem fiel es ein, zwischen der Handlung des Stückes und den eigenen Erfahrungen eine Brücke zu schlagen. Daß es sich bei der Heldin um eine Frau handelt, die einen durch Willkür Entrechteten befreit [...], also um eine Schwester all derer, die sie noch eben mit den Augen des Diktators gesehen, der Polizei des Diktators denunziert oder sogar mit den Waffen des Diktators selbst mißhandelt hatten, das spürten sie nicht.
Tagebuch-Notiz, 1958

Lew N. Tolstoj über die «Kreutzer-Sonate»

Ein furchtbares Werk ist diese Sonate. Und gerade dieser Teil. Und die Musik überhaupt ist etwas Furchtbares! Was ist sie? Ich verstehe es nicht. Was ist die Musik? Was bewirkt sie? Und warum wirkt sie so, wie sie wirkt? Man sagt, die Musik wirke erhebend auf die Seele. Das ist nicht wahr, das ist Unsinn! Sie wirkt, sie wirkt furchtbar – ich rede aus eigner Erfahrung –, aber keineswegs erhebend. Sie erhebt die Seele nicht, sie zerrt sie herab, sie stachelt sie auf. Wie soll ich das ausdrücken? Die Musik zwingt mich, mich selbst, meine wahre Lage zu vergessen; sie bringt mich in eine andere, mir freundliche Lage; unter der Einwirkung der Musik scheint es mir, als fühlte ich etwas, was ich eigentlich gar nicht fühle, als verstünde ich, was ich nicht verstehe, als könnte ich, was ich nicht kann.
Kreutzersonate, 1891

Marcel Proust über die Fünfte Sinfonie

Da die Musik unablässig in einem jeden von uns Einheit schuf, indem sie uns bald Bangen, bald heroische Glut, bald Furcht einflößte, alles andere vertreibend und uns ganz erfüllend, realisierte sie jene indessen auch unter unseren Herzen. Werde ich je vergessen können, was ich empfand: Wie die tausend Münder des Windes, um ein Boot ins Meer zu stoßen, sich an alle Einsatzstücke

des Segels pressen, so schwellten und spannten sich während des *Andantes* der *c-Moll-Sinfonie* so viele Herzen wie ein einziges Segel in einer unendlichen Hoffnung! Wie die Satyrn und die Thyaden, wenn sie das Fest des Dionysos feiern, nur die Thyrsosstäbe zu schütteln oder ihre Lippen an die Trauben zu legen scheinen; doch der heilige Rausch des Gottes erreicht sie, und sie erfahren Schmerzen, ohne zu leiden, und Freuden, qualvoller als Schmerzen – so schienen die zweihundert Musiker kleine Geigen zu halten.
Ein Sonntag im Conservatoire, 1895

Aldous Huxley über das Streichquartett op. 132

Langsam, langsam entfaltete sich die Melodie. Die archaischen lydischen Harmonien schwebten in der Luft. Es war eine leidenschaftslose Musik, durchsichtig, rein und kristallen wie ein tropisches Meer, wie ein Alpensee. Wasser über Wasser, Ruhe, die über Ruhe glitt; die akkordmäßige Verbindung wellenloser Weiten und ebener Horizonte, ein Kontrapunkt stiller Seligkeiten. Und alles klar und hell; keine Nebel, kein verschwommenes Zwielicht. Es war die Ruhe stiller und verzückter Betrachtung, nicht der Schläfrigkeit oder des Schlafs. Es war die Heiterkeit des Genesenen, der vom Fieber erwacht und sich in ein Reich der Schönheit wiedergeboren findet. Aber das Fieber war «das Fieber, genannt Leben». Und die Wiedergeburt geschah nicht in dieser Welt; die Schönheit war überirdisch. Die Heiterkeit der Genesung war der Friede Gottes. Die Verschlingungen der lydischen Melodien waren der Himmel.
Kontrapunkt des Lebens, 1928

Werkverzeichnis

Hinter den Werktiteln erscheinen in eckigen Klammern Seitenverweise

I. Instrumentalwerke

Sinfonien

Sinfonie Nr. 1 C-Dur op. 21 (1799/1800) [39, 50, 91 f., 94]
Sinfonie Nr. 2 D-Dur op. 36 (1801/02) [39, 142]
Sinfonie Nr. 3 Es-Dur *(Sinfonia eroica)* op. 55 (1803/04) [39, 50, 94–98, 107, 118, 137, 142, 160 f.]
Sinfonie Nr. 4 B-Dur op. 60 (1806) [40]
Sinfonie Nr. 5 c-Moll op. 67 (1807/08) [40, 97–103, 107, 110, 157]
Sinfonie Nr. 6 F-Dur *(Sinfonia pastorale)* op. 68 (1807/08) [40, 102–107, 159]
Sinfonie Nr. 7 A-Dur op. 92 (1811/12) [44 f., 60, 90, 97, 107 f., 137, 159]
Sinfonie Nr. 8 F-Dur op. 93 (1811/12) [45, 90, 107 f., 127, 137, 143]
Sinfonie Nr. 9 d-Moll op. 125 (1822–1824) [10, 22, 60, 85, 107, 129 f., 132 f., 140, 143–146, 162]

Ouvertüren und *Wellingtons Sieg*

Ouvertüre zu *Die Geschöpfe des Prometheus* op. 43 (1800/01) [41, 94]
Ouvertüre I zur Oper *Leonore* op. 138 (1808)
Ouvertüre II zur Oper *Leonore* (1805)
Ouvertüre III zur Oper *Leonore* (1806)
Ouvertüre zu Collins «Coriolan» op. 62 (1807) [40]
Ouvertüre zu Goethes «Egmont» op. 84 (1809/10) [160]
Ouvertüre zu «Die Ruinen von Athen» op. 113 (1811) [44, 99]
Ouvertüre zu «König Stephan» op. 117 (1811) [44]
Wellingtons Sieg oder Die Schlacht bei Vittoria (Schlachtensinfonie) op. 91 (1813) [44, 60]
Ouvertüre zur Oper *Fidelio* (1814)
Ouvertüre zur «Namensfeier» op. 115 (1814/15) [46]
Ouvertüre zu «Die Weihe des Hauses» op. 124 (1822) [130, 132]

Ballette und Schauspielmusiken

Die Geschöpfe des Prometheus (Ballett) op. 43 (1800/01) [41, 94]
Musik zu Goethes «Egmont» op. 84 (1809/10) [160]
Musik zum Festspiel «Die Ruinen von Athen» op. 113 (1811) [44, 99]
Musik zum Festspiel «König Stephan» op. 117 (1811) [44]
Musik zu «Leonore Prohaska» WoO 96 (1815)

Konzerte

Klavierkonzert Es-Dur WoO 4 (1784)
Klavierkonzert Nr. 1 C-Dur op. 15 (um 1795/96, 1798) [39]
Klavierkonzert Nr. 2 B-Dur op. 19 (1794/95, 1798) [33]
Klavierkonzert Nr. 3 c-Moll op. 37 (1800) [36, 39]
Klavierkonzert Nr. 4 G-Dur op. 58 (1805/06) [40]
Klavierkonzert Nr. 5 Es-Dur op. 73 (1809) [40]
Violinkonzert D-Dur op. 61 (1806) [39]
Tripelkonzert für Klavier, Violine, Violoncello und Orchester C-Dur op. 56 (1803/04)

Kammermusik – verschiedene Besetzungen

Oktett für Blasinstrumente Es-Dur op. 103 (1792)
Septett Es-Dur op. 20 (1799/1800) [33, 39]
Sextett für Blasinstrumente Es-Dur op. 71 (1796) [33]
Sextett für Streichquartett und 2 Hörner Es-Dur op. 81 b (1794 oder 1795)
Streichquintett Es-Dur op. 4 (nach dem Bläseroktett op. 103) (1795/96) [33]
Quintett für Klavier mit Blasinstrumenten Es-Dur op. 16 [33]

Streichquintett C-Dur op. 29 (1800/01) [47]
Fuge für Streichquintett D-Dur op. 137 (1817)
Drei Quartette für Klavier, Violine, Viola und Violoncello Es-Dur, D-Dur, C-Dur WoO 36 (1785) [20]

Streichquartette

Sechs Streichquartette Nr. 1–6 F-Dur, G-Dur, D-Dur, c-Moll, A-Dur, B-Dur op. 18 (1798–1800) [33, 73]
Drei Streichquartette Nr. 7–9 F-Dur, e-Moll, C-Dur («Rasumowsky-Quartette») op. 59 (1805/06) [38]
Streichquartett Nr. 10 Es-Dur («Harfenquartett») op. 74 (1809)
Streichquartett Nr. 11 f-Moll op. 95 (1810)
Streichquartett Nr. 12 Es-Dur op. 127 (1824/25) [10, 133, 137, 142, 146 f.]
Streichquartett Nr. 13 B-Dur op. 130 (1825/26) [10, 133, 137, 142, 146 f.]
Streichquartett Nr. 14 cis-Moll op. 131 (1826) [10, 133, 137, 142, 146 f., 149 f.]
Streichquartett Nr. 15 a-Moll op. 132 (1825) [10, 133, 137, 142, 146–149]
Große Fuge für Streichquartett B-Dur op. 133 (1825) [10, 133, 137, 142, 146 f.]
Streichquartett Nr. 16 F-Dur op. 135 (1826) [10, 133, 137, 142, 146 f.]

Trios

Klaviertrio Es-Dur WoO 38 (1790/91)
Drei Klaviertrios Es-Dur, G-Dur, c-Moll op. 1 (1793/94) [31, 33]
Trio für Klavier, Klarinette und Violoncello B-Dur op. 11 (1797) [29, 33]
14 Variationen für Klaviertrio Es-Dur op. 44 [33]
Zwei Klaviertrios D-Dur, Es-Dur op. 70 (1808)
Klaviertrio B-Dur («Erzherzog-Trio») op. 97 (1811) [60]
Allegretto für Klaviertrio B-Dur WoO 39 (1812)
Streichtrio Es-Dur op. 3 (1792) [29]
Serenade für Streichtrio D-Dur op. 8 (1796/97) [33]
Drei Streichtrios G-Dur, D-Dur, c-Moll op. 9 (1796–98) [33]
Serenade für Flöte, Violine und Viola D-Dur op. 25 (1795/96)
Trio für 2 Oboen und Englischhorn C-Dur op. 87 (1794)

Duo-Sonaten

Drei Sonaten für Klavier und Violine D-Dur, A-Dur, Es-Dur op. 12 (1797/98) [33, 73]
Sonate für Klavier und Violine a-Moll op. 23 (1800)
Sonate für Klavier und Violine F-Dur («Frühlingssonate») op. 24 (1800/01)
Drei Sonaten für Klavier und Violine A-Dur, c-Moll, G-Dur op. 30 (1802)
Sonate für Klavier und Violine A-Dur («Kreutzer-Sonate») op. 47 (1802/03) [36]
Sonate für Klavier und Violine G-Dur op. 96 (1812)
Zwei Sonaten für Klavier und Violoncello F-Dur, g-Moll op. 5 (1796) [33, 73]
Sonate für Klavier und Violoncello A-Dur op. 69 (1807)
Zwei Sonaten für Klavier und Violoncello C-Dur, D-Dur op. 102 (1815) [137, 140]
Sonate für Klavier und Horn F-Dur op. 17 (1800) [33]

Klaviersonaten

Drei Sonaten Es-Dur, f-Moll, D-Dur («Kurfürstensonaten») WoO 47 (1782/83) [20]
Drei Sonaten Nr. 1–3 f-Moll, A-Dur, C-Dur op. 2 (1795) [31 ff., 84, 87]
Sonate Nr. 4 Es-Dur op. 7 (1796/97) [33]
Drei Sonaten Nr. 5–7 c-Moll, F-Dur, D-Dur op. 10 (1796–98) [33]
Sonate pathétique Nr. 8 c-Moll op. 13 (1798/99) [33, 84 f., 86 ff.]
Zwei Sonaten Nr. 9–10 E-Dur, G-Dur op. 14 (1798–99) [33]
Sonate Nr. 11 B-Dur op. 22 (1799/1800)
Sonate Nr. 12 As-Dur op. 26 (1800/01)

2 Sonaten *(Sonata quasi una fantasia)* Nr. 13–14 Es-Dur, cis-Moll («Mondscheinsonate») op. 27 (1801) [33, 71]
Sonate Nr. 15 D-Dur op. 28 (1801)
Drei Sonaten Nr. 16–18 G-Dur, d-Moll, Es-Dur op. 31 (1801/02) [84, 88 ff., 96, 137]
Zwei Sonaten Nr. 19–20 g-Moll, G-Dur, op. 49 (1798, 1796)
Sonate Nr. 21 C-Dur («Waldsteinsonate») op. 53 (1803/04)
Sonate Nr. 22 F-Dur op. 54 (1804)
Sonate Nr. 23 f-Moll («Appassionata») op. 57 (1804/05) [90]
Sonate Nr. 24 Fis-Dur op. 78 (1809)
Sonatine Nr. 25 G-Dur op. 79 (1809)
Sonate Nr. 26 Es-Dur («Les adieux») op. 81 a (1809/10) [85]
Sonate Nr. 27 e-Moll op. 90 (1814)
Sonate Nr. 28 A-Dur op. 101 (1816) [129]
Sonate Nr. 29 B-Dur («Hammerklaviersonate») op. 106 (1817/18) [129, 137, 139 f.]
Sonate Nr. 30 E-Dur op. 109 (1820) [129, 139]
Sonate Nr. 31 As-Dur op. 110 (1821) [129, 138 f., 140, 157]
Sonate Nr. 32 c-Moll op. 111 (1821/22) [129]

Klaviervariationen und kleine Klavierstücke

Sechs Variationen über ein Originalthema F-Dur op. 34 (1802) [58]
Fünfzehn Variationen über ein Originalthema Es-Dur («Eroica-Variationen») op. 35 (1802) [58]
Sechs Variationen über ein Originalthema D-Dur op. 76 (1809)
Dreiunddreißig Variationen über einen Walzer von A. Diabelli C-Dur op. 120 (1822/23) [129]
Rondo a capriccio G-Dur *(Die Wut über den verlornen Groschen)* op. 129 (zwischen 1795 und 1798)
Sieben Bagatellen op. 33 (1802)
Bagatelle a-Moll («Für Elise») WoO 59 (1810)
Andante F-Dur WoO 57 (1803/04) [35]
Elf Bagatellen op. 119 (1820–22)
Sechs Bagatellen op. 126 (1823/24) [129]

II. Vokalwerke

Oper

Fidelio oder Die eheliche Liebe (Leonore) op. 72 (1. Fassung mit *Leonore*-Ouvertüre II 1804/05; 2. Fassung mit *Leonore*-Ouvertüre III 1805/06; 3. Fassung mit *Fidelio*-Ouvertüre 1814) [43, 73, 130]

Messen

Messe in C-Dur op. 86 (1807) [40, 43]
Missa solemnis D-Dur op. 123 (1819–23) [111, 129 f., 132, 137, 139–142]

Oratorien, Kantaten und Gesänge mit Orchester

Kantate auf den Tod Kaiser Josephs II. WoO 87 (1790) [23]
Kantate auf die Erhebung Leopolds II. zur Kaiserwürde WoO 88 (1790)
Szene und Arie *Ah perfido!* für Sopran und Orchester op. 65 (1796) [40]
Bundeslied für zwei Solo- und drei Chorstimmen mit Blasinstrumentbegleitung (Goethe) op. 122 (1797/1822)
Christus am Ölberge (Oratorium) op. 85 (1803) [39, 42]
Fantasie für Klavier, Chor und Orchester op. 80 (1808) [40]
Elegischer Gesang für 4 Singstimmen mit Begleitung des Streichquartetts op. 118 (1814)
Kantate «Der glorreiche Augenblick» op. 136 (1814) [46, 127]
«Germania». Schlussgesang aus «Die gute Nachricht» (Singspiel von G. F. Treitschke) für Bass mit Chor und Orchester WoO 94 (1814) [46]

«Ihr weisen Gründer». Chor auf die verbündeten Fürsten, mit Orchester WoO 95 (1814)
«Es ist vollbracht». Schlussgesang aus G. F. Treitschkes Singspiel «Die Ehrenpforten» für Bass mit Chor und Orchester WoO 97 (1815) [46]
«Meeresstille und Glückliche Fahrt» op. 112 (1814/15) [46]

Lieder und Gesänge mit Klavierbegleitung

Acht Lieder op. 52 (1790/99)
«Adelaide» (Matthisson) op. 46 (1795/96)
«Ich liebe dich» (K. F. Herrosee) WoO 123 (1797)
«Der Kuß» (Chr. F. Weisse) op. 128 (1798)
Sechs Lieder nach Texten von Chr. F. Gellert op. 48 (1798/1802)
Sechs Gesänge op. 75 (1809)
Drei Gesänge nach Gedichten von Goethe op. 83 (1810)
«An die Hoffnung» (Chr. Aug. Tiedge): 1. Fassung op. 32 (1805); 2. Fassung op. 94 (1815) [74]
An die ferne Geliebte. Ein Liederkreis von Alois Jeitteles op. 98 (1816) [129]
«Abendlied unterm gestirnten Himmel» WoO 150 (1820) [115]
Bearbeitungen zahlreicher schottischer, irischer und walisischer Volkslieder op. 108, WoO 152–156 (1810–22)

Bibliographie

Kommentierte Auswahl

Aus der unabsehbaren Beethoven-Literatur sind diejenigen Titel genannt, die den Einstieg in die nähere Beschäftigung mit Beethoven erleichtern und überdies in Bibliotheken häufig greifbar sind. Weitere Literatur ist in den Anmerkungen zitiert.

1. Werkverzeichnis

Das Werk Beethovens. Thematisch-Bibliographisches Verzeichnis seiner sämtlichen vollendeten Kompositionen von Georg Kinsky. Nach dem Tode des Verfassers herausgegeben von Hans Halm. München und Duisburg 1955
Der in der Regel als «Kinsky/Halm» zitierte Band bietet in übersichtlicher Anordnung gründliche Informationen über die Entstehung und Geschichte, Quellen und Ausgaben der Werke Beethovens. Zahlreiche Übersichten und Register machen ihn geradezu zu einem Handbuch der Werküberlieferung.

2. Alte und neue Gesamtausgabe

Die «alte» Gesamtausgabe erschien von 1862–88 in 25 Serien mit Supplementen im Verlag Breitkopf und Härtel, Leipzig. Weitere 14 Supplementbände gab Willi Heß 1959–71 im Verlag Breitkopf & Härtel, Wiesbaden, heraus.

Seit 1960 erscheint eine «neue» Gesamtausgabe im Henle Verlag, München und Duisburg, herausgegeben vom Beethoven-Archiv Bonn. Sofern die entsprechenden Bände bereits vorliegen, sollte man diese Ausgabe benutzen.

3. Briefe und Konversationshefte

Ludwig van Beethovens sämtliche Briefe. Hg. v. Emerich Kastner. 2. Auflage, bearbeitet von Julius Kapp. Leipzig 1923, Nachdruck München 1975
Diese bisherige Standard-Ausgabe der Beethovenbriefe ist inzwischen durch die folgende Neuerscheinung abgelöst:

Ludwig van Beethoven, Briefwechsel. Gesamtausgabe in 8 Bänden, hg. v. Sieghard Brandenburg u. a., München und Bonn 1996 ff.

Ludwig van Beethovens Konversationshefte. Vollständige Ausgabe in 10 Bänden. Hg. v. Karl-Heinz Köhler, Grita Herre und Dagmar Beck. Leipzig 1972–1993

4. Bildbiographie

H. C. Robbins Landon: Beethoven. Sein Leben und seine Welt in zeitgenössischen Bildern und Texten. Zürich 1970
Der Band zeichnet sich vor manchen vergleichbaren durch viele großformatige Abbildungen aus.

5. Materialbiographien

Jean und Brigitte Massin: Beethoven. Materialbiographie. Daten zum Werk und Essay. München 1970

Dieter Rexroth: Beethoven. Leben – Werke – Dokumente. Mainz und München 1982

Barry Cooper (Hg.): Das Beethoven-Kompendium. München 1992

6. Erinnerungen an Beethoven

Paul Fiebig (Hg.): Über Beethoven. Von Musikern, Dichtern und Liebhabern. Stuttgart 1993
Eine originelle Anthologie, die sich vom traditionellen Heroenkult fernhält.

7. Werkeinführungen

Albrecht Riethmüller, Carl Dahlhaus und Alexander Ringer (Hg.): Beethoven. Interpretation seiner Werke. Laaber 1994
Das zweibändige Werk, zu dem viele internationale Forscherinnen und Forscher beigetragen haben, bringt ausführliche Einführungen in alle Werke mit und in die meisten ohne Opuszahl. Obwohl der Denkhorizont der einzelnen Autoren und dementsprechend ihr methodisches Rüstzeug sehr unterschiedlich sind, lohnt es fast immer, hier nachzuschlagen.

Arnold Werner-Jensen: Reclams Musikführer: Ludwig van Beethoven. Stuttgart 1998

8. Bedeutende Aufsatzsammlungen

Peter Gülke: «… immer das Ganze vor Augen». Studien zu Beethoven. Kassel und Stuttgart 2000

9. Gesamtdarstellungen von Leben und Werk

Ludwig van Beethovens Leben von Alexander Wheelock Thayer. Bearbeitet und weitergeführt von Hermann Deiters, Revision von Hugo Riemann. Leipzig, Bd. 1: ^{3}1917, Bd. 2: ^{3}1922, Bd. 3: $^{3-5}$1923, Bd. 4: $^{2-4}$1923, Bd. 5: 1908

Paul Bekker: Beethoven. Berlin und Leipzig 1912

Walter Riezler: Beethoven. Berlin und Zürich 1936

Karl Schönewolf: Beethoven in der Zeitenwende. 2 Bde. Halle (Saale) 1953

Carl Dahlhaus: Ludwig van Beethoven und seine Zeit. Laaber 1987

Maynard Solomon: Beethoven. München 1979

Theodor W. Adorno: Beethoven. Philosophie der Musik. Fragmente und Texte. Frankfurt a. M. 1993

Konrad Küster: Beethoven. Stuttgart 1994

Barry Cooper: Beethoven. Oxford 2000

Klaus Kropfinger: Ludwig van Beethoven. Stuttgart, Weimar und Kassel 2001 (Reihe MGG focus)

Die Beethoven-Biographik hat sich von Anfang an schwer getan, da die Überlieferung der Lebenszeugnisse des Komponisten früh von Legenden überwuchert wurde.
In der 2. Hälfte des 19. Jahrhunderts widmete der amerikanische Musikforscher Alexander Wheelock Thayer seine Lebensarbeit einer ersten umfassenden Darstellung, die zunächst in einer deutschen Bearbeitung Hermann Deiters bekannt wurde. Dieser konnte bis zu seinem Tode im Jahre 1907 die Drucklegung der drei ersten Bände seines «Beethoven» überwachen. Hugo Riemann, einer der Väter der deutschen Musikwissenschaft, gab die fehlenden Bände vier und fünf nach vorliegenden Druckbögen und Manuskripten heraus, bearbeitete anschließend auch die drei ersten Bände und fügte jeweils Werkbesprechungen hinzu. 1917 lag die fünfbändige Fassung Hugo Riemanns erstmals vollständig vor.
Das heute kurz «Thayer/Deiters/Riemann» genannte Standardwerk widmet im großen und ganzen jedem

Lebensjahr Beethovens ein eigenes Kapitel. Diese formale Gliederung erlaubt es den Autoren, die ganze Fülle eines biographischen Materials auszubreiten, auf das die Forschung bis heute zurückgreift, auch wenn es in zahllosen Details neue Funde und Bewertungen oder auch nur vermeintliche Entdeckungen gegeben hat.

An eine umfassende Biographie hat sich seither niemand mehr herangewagt. Die beste derzeit verfügbare Lebensbeschreibung ist diejenige von Maynard Solomon. Sie ist zwar mit psychoanalytischen Theorien überfrachtet, jedoch interessant geschrieben, zudem von wissenschaftlichem Niveau und im wesentlichen auf der Höhe der Beethoven-Forschung. Die Bücher von Bekker, Riezler, Schönewolf und Dahlhaus sowie die nachgelassenen Texte von Adorno stehen exemplarisch für unterschiedliche Werksichten, die sich im Laufe der Generationen herausgebildet haben. Bekker stellt Beethoven in hermeneutischer Blickrichtung vor allem als Tonpoeten dar; Riezler bietet eine werkimmanente, jedoch keineswegs engstirnige Darstellung; Schönewolf sieht in Beethoven einen den Ideen der Französischen Revolution verpflichteten Künstler; Dahlhaus geht vor allem kompositorischen und ästhetischen Grundsatzproblemen im Werk Beethovens nach, Adorno versucht am Beispiel Beethovens eine Philosophie der Musik.

Namen-register

Die kursiv gesetzten Zahlen bezeichnen die Abbildungen

Über den Autor

Martin Geck, geboren 1936, Studium der Musikwissenschaft, Theologie und Philosophie in Münster, Berlin und Kiel, 1962 Dr. phil., 1966 Gründungsredakteur der Richard-Wagner-Gesamtausgabe, 1970 Lektor in einem Schulbuchverlag, nachfolgend Autor zahlreicher Musiklehrwerke, 1974 Privatdozent, 1976 ordentlicher Professor für Musikwissenschaft an der Universität Dortmund.

Zahlreiche Bücher, Aufsätze, Lexikonartikel und Editionen zur Geschichte der deutschen Musik im 17., 18. und 19. Jahrhundert, speziell zum Werk von Schütz, Buxtehude, Bruhns, Bach, Beethoven, E.T.A. Hoffmann, Mendelssohn Bartholdy und Wagner. Mitherausgeber des Richard-Wagner-Werkverzeichnisses. 1993 erschien das Standardwerk «Von Beethoven bis Mahler. Die Musik des deutschen Idealismus» (als Taschenbuch: rororo 60891). Im Bach-Jahr 2000 veröffentlichte er bei Rowohlt den monographien-Band über Johann Sebastian Bach (rororo 50637) sowie die viel beachtete große Biographie «Bach. Leben und Werk».

Der Autor dankt Frau Dr. Helga Lühning vom Beethoven-Archiv in Bonn für sachkundige Beratung.

Quellennachweis der Abbildungen

Bildarchiv der Österreichischen Nationalbibliothek, Wien: Umschlagvorderseite, 37 Mitte, 48 (2), 49 (2), 80 rechts, 146, 158
Historisches Museum der Stadt Wien: 3, 19 links, 70, 119 unten, 123 (2), 136
Fotos: Archiv für Kunst und Geschichte, Berlin: 6, 9, 29 (farbig), 106, 131, Umschlagrückseite unten
Mit freundlicher Genehmigung des Beethoven-Hauses Bonn: 11, 16, 18 links, 54 links, 55, 68 oben links, 68 oben rechts (Privatbesitz; Foto nach: Beethoven und die Brunsviks. Hg. von Le Mara. Leipzig 1920), 68 unten links, 80 links, 104, 119 oben, 143, 154/155, Umschlagrückseite oben (Foto: Klaus Weidner)
Sammlung H. C. Bodmer: 68 unten rechts, 117, 150
Sammlungen der Gesellschaft der Musikfreunde in Wien: 18 rechts, 19 rechts, 37 oben, 112, 121 (Foto: Archiv für Kunst und Geschichte, Berlin)
© Copyright The British Museum, London: 37 unten
Freiherr von Gleichenstein, Oberrotweil: 51, 93
Stadtarchiv und Stadthistorische Bibliothek Bonn: 54 rechts
Staats- und Universitätsbibliothek, Hamburg: 57
Staatsbibliothek zu Berlin – Preußischer Kulturbesitz, Musikabteilung mit Mendelssohn-Archiv: 65 (2), 141
Aus: H. C. Robbins Landon: Beethoven. Sein Leben und seine Welt in zeitgenössischen Bildern und Texten. Zürich 1970: 69 links (Achim von Brentano, Winkel), 71 (Foto H. C. Robbins Landon), 85 oben (Privatbesitz), 85 unten (Antiquariat Ingo Nebehay, Wien)
Staatliche Museen Kassel, Graphische Sammlung: 69 rechts
© Bildarchiv Preußischer Kulturbesitz, Berlin: 95

Musik

rowohlts monographien
Begründet von Kurt Kusenberg, herausgegeben von Wolfgang Müller und Uwe Naumann.

Louis Armstrong
dargestellt von Ilse Storb
(50443)

Johann Sebastian Bach
dargestellt von Martin Geck
(50637)

George Bizet
dargestellt von
Christoph Schwandt
(50375)

Frédéric Chopin
dargestellt von Jürgen Lotz
(50564)

Hanns Eisler
dargestellt von Fritz
Hennenberg
(50370)

John Lennon
dargestellt von Alan Posener
(50363)

Franz Lehár
dargestellt von
Norbert Linke
(50427)

Felix Mendelssohn Bartholdy
dargestellt von
Hans Christoph Worbs
(50215)

Elvis Presley
dargestellt von
Alan und Maria Posener
(50495)

Sergej Prokofjew
dargestellt von
Thomas Schipperges
(50516)

rowohlts monographien

Giacomo Puccini
dargestellt von
Clemens Höslinger
(50325)

Sergej Rachmaninow
dargestellt von
Andreas Wehrmeyer
(50416)

Gioacchino Rossini
dargestellt von
Volker Scherliess
(50476)

Robert Schumann
dargestellt von
Barbara Meier
(50522)

Heinrich Schütz
dargestellt von
Michael Heinemann
(50490)

Richard Strauss
dargestellt von
Walter Deppisch
(50146)

Weitere Informationen in der **Rowohlt Revue**, kostenlos im Buchhandel, und im **Internet: www.rororo.de**

4503/10

Literatur

rowohlts monographien
Begründet von Kurt Kusenberg, herausgegeben von Wolfgang Müller und Uwe Naumann.

Alfred Andersch
dargestellt von Bernhard Jendricke (50395)

Lou Andreas-Salomé
dargestellt von Linde Salber (50463)

Bettine von Arnim
dargestellt von Helmut Hirsch (50369)

Jane Austen
dargestellt von Wolfgang Martynkewicz (50528)

Simone de Beauvoir
dargestellt von Christiane Zehl Romero (50260)

Wolfgang Borchert
dargestellt von Peter Rühmkorf (50058)

Albert Camus
dargestellt von Brigitte Sändig (50635)

Raymond Chandler
dargestellt von Thomas Degering (50377)

Joseph von Eichendorff
dargstellt von Hermann Korte (50568)

rowohlts monographien

Theodor Fontane
dargestellt von Helmuth Nürnberger (50145)

Frauen um Goethe
dargestellt von Astrid Seele (50636)

Ernest Hemingway
dargestellt von Hans-Peter Rodenberg (50626)

Henrik Ibsen
dargestellt von Gerd E. Rieger (50295)

James Joyce
dargestellt von Jean Paris (50040)

4505/11

Philosophie

rowohlts monographien
Begründet von Kurt Kusenberg, herausgegeben von Wolfgang Müller und Uwe Naumann.

Hannah Arendt
dargestellt von
Wolfgang Heuer
(50379)

Aristoteles
dargestellt von J.-M. Zemb
(50063)

Walter Benjamin
dargestellt von Bern Witte
(50341)

René Descartes
dargestellt von Rainer Specht
(50117)

Johann Gottlieb Fichte
dargestellt von
Wilhelm G. Jacobs
(50336)

Michael Foucault
dargestelt von
Bernhard H. F. Taureck
(50506)

Georg Wilhelm Friedrich Hegel
dargestellt von
Franz Wiedmann
(50110)

Karl Jaspers
dargestellt von Hans Saner
(50169)

Immanuel Kant
dargestellt von Uwe Schultz
(50101)

Jean-Paul Sartre
dargestellt von
Christa Hackenesch
(50629)

rowohlts monographien

Karl Marx
dargestellt von
Werner Blumenberg
(50076)

John Stuart Mill
dargestellt von
Jürgen Gaulke
(50546)

Friedrich Nietzsche
dargestellt von Ivo Frenzel
(50634)

Jean-Jacques Rousseau
dargestellt von
Georg Holmsten
(50191)

Karl Popper
dargestellt von
Manfred Geier
(50468)

Der Wiener Kreis
dargestellt von
Manfred Geier
(50508)

Ludwig Wittgenstein
dargestellt von
Kurt Wuchterl
und Adolf Hübner
(50275)